"十二五"国家重点图书出版规划项目

CHINA WETLANDS RESOURCES
Liaoning Volume

中国湿地资源

辽宁卷

◎ 国家林业局组织编写

中国林業出版社

图书在版编目（CIP）数据

中国湿地资源·辽宁卷／国家林业局组织编写；马志刚分册主编．－北京：中国林业出版社，2015.12

“十二五”国家重点图书出版规划项目

ISBN 978-7-5038-8280-7

Ⅰ．①中… Ⅱ．①国… ②马… Ⅲ．①湿地资源－研究－辽宁省 Ⅳ．①P942.078

中国版本图书馆CIP数据核字（2015）第296679号

审图号：辽S（2015）14号

总 策 划：金 旻
策划编辑：徐小英
主要编辑：徐小英 刘香瑞 李 伟
何 鹏 于界芬
美术编辑：赵 芳

出版发行 中国林业出版社（100009 北京西城区刘海胡同7号）
http://lycb.forestry.gov.cn
E-mail:forestbook@163.com 电话：(010)83143515、83143543
设计制作 北京天放自动化技术开发公司
北京捷艺轩彩印制版有限公司
印刷装订 北京中科印刷有限公司
版 次 2015年12月第1版
印 次 2015年12月第1次
开 本 787mm×1092mm 1/16
字 数 281千字
印 张 11
定 价 85.00元

中国湿地资源系列图书
编撰工作领导小组

顾　问：陈宜瑜　李文华　刘兴土

组　长：张永利

副组长：马广仁

成　员：（按姓氏笔画排序）

王文宇　王忠武　王海洋　韦纯良　邓乃平　邓三龙
兰宏良　刘建武　刘艳玲　刘新池　李　兴　李三原
李永林　来景刚　吴　亚　张宗启　陆月星　陈则生
陈传进　陈俊光　林云举　呼　群　金　旻　金小麒
周光辉　降　初　孟　沙　侯新华　夏春胜　党晓勇
徐济德　奚克路　阎钢军　程中才　雷桂龙　蔡炳华
樊　辉

中国湿地资源系列图书
编撰工作领导小组办公室

主　任：马广仁

副主任：鲍达明　唐小平　熊智平　马洪兵

成　员：王福田　姬文元　刘　平　闫宏伟　李　忠　田亚玲
王志臣　张阳武　但新球　刘世好　王　侠　徐小英

《中国湿地资源·辽宁卷》
编辑委员会

主　　任：奚克路

副 主 任：马志刚

成　　员：王忠海　陈　嘉　刘永会　肖常青　肖柏辉

《中国湿地资源·辽宁卷》
编写组

主　　编：马志刚

副 主 编：王忠海　李玉祥　孙　军　肖常青　肖柏辉　杨春明　张宝森

编 著 者：徐志辉　王亚林　张秀峰　杨　占　肖　杰　才大伟　韩学喆　佟　帅　卢　元　张　强　刘　宏　张树浩　姜佳晔　赵文元　邵乐夫　唐源泽　苗　肥　白银露　詹劲昱　孙长军　陈　杰　迟新德　王韦舒　张建华　张　敏　孙术桓　刘胜利　李　阳　孟　倩　武文昊

主　　审：邱英杰

地图绘制：刘春琴　李晓玲　佟丽文　高香玲　熊　静

插图编绘：才大伟

照片摄影：刘东伟　宗树兴　张　明　夏建国　淳于常胜　白清泉　姜兴国　付化瑞　冯　琦　王　志　柳明玉　高维胜　赵敬东

总 序

湿地是地球表层系统的重要组成部分，是自然界最具生产力的生态系统和人类文明的发祥地之一。在联合国环境规划署（UNEP）委托世界自然保护联盟（IUCN）编制的《世界自然资源保护大纲》中，湿地与森林和海洋一起并称为全球三大生态系统。湿地具有类型多样、分布广泛的特点；湿地更重要的是还具有多种供给、调节、支持与文化服务功能，是人类重要的生存环境和资源资本。湿地与人类生产生活和社会经济发展息息相关。湿地的重要性受到世界各国和国际社会的普遍关注。早在1971 年，国际社会就建立了全球第一个政府间多边环境公约，即《关于特别是作为水禽栖息地的国际重要湿地公约》（简称《湿地公约》）。同时，该公约也是全球最早针对单一生态系统保护的国际公约。1992 年中国加入《湿地公约》，自此我国湿地保护事业进入了新的发展时期。

我国加入《湿地公约》后，在国家林业局设立了专门的湿地保护和履约机构，对内负责组织、协调、指导和监督全国湿地保护工作，对外负责《湿地公约》的履约工作。近年来，中国各级政府在湿地保护方面开展了大量卓有成效的工作，采取了一系列保护和合理利用湿地资源的措施，在湿地保护规划和重点工程建设、财政补贴政策制定实施、法规制度建设、保护体系建设、科研监测、宣传教育和国际合作等方面取得了长足进步。但我国湿地生态系统仍然面临着盲目围垦与改造、污染、水土流失、泥沙淤积、生物资源过度利用等多种因素的破坏和威胁，导致面积减少，生态功能下降，生物多样性丧失。因此，切实保护和合理利用湿地资源，既是保障生态安全和国土安全的当务之急，更是中国实施可持续发展战略势在必行的要务。

开展湿地资源调查，摸清湿地资源家底，把握湿地资源动态，是所有湿地保护工作的基础，也是履行《湿地公约》各项工作的根基。2009 ～ 2013 年，在中央财政的支持下，国家林业局组织开展了第二次全国湿地资源调查工作。在此期间，我有幸作为第二次全国湿地资源调查专家技术委员会的主任委员，和其他专家一起全程参与了此次湿地资源调查的主要技术环节和成果鉴定。

我认为此次调查具有以下几个特点：一是，此次调查的湿地分类、界定标准、调查方法基本与《湿地公约》规定相接轨，使得调查数据符合《湿地公约》的要求，调查成果易于被国际认可，便于国际间的对比和交流。二是，制定了内容全面、方法科学、符合国际标准的统一技术规程《全国湿地资源调查技术规程（试行）》，进行了同标准、同口径的分期分批调查。三是，本次调查利用“3S”技术与现地验证相结合的技术方法，查清了全国范围内（未包括香港、澳门、台湾）8 公顷以上的湿地资源基本情况。四是，湿地调查分为一般调查和重点调查。重点调查包括，国际重要湿地、国家重要湿地、自然保护区（含自然保护小区）和湿地公园内的湿地以及其他特有、分布濒危物种和红树林等具有特殊保护价值的湿地。五是，组织保障有力。国家层面上，成立了第二次全国湿地资源调查领导小组、专家技术委员会、中央技术支撑单位和国家质量检查组；省级层面上，分别成立了湿地调查专职机构，组建了省级专业调查队伍。

需要指出的是，第二次全国湿地资源调查期间，我国湿地保护事业发展迅速。2009 年，中央启动了“湿地生态效益补偿试点”工作；2010 年开始，中央财政设立了湿地保护补助专项资金；2012 年，党的十八大将建设生态文明纳入中国特色社会主义事业“五位一体”总体布局，提出要“扩大森林、湖泊、湿地面积，保护生物多样性”。期间，国家林业局会同相关部门认真实施了《全国湿地保护工程实施规划 (2005 ～ 2010 年)》和《全国湿地保护工程“十二五”实施规划》。2013 年，国家林业局出台的《推进生态文明建设规划纲要》划定了湿地保护红线，到 2020 年中国湿地面积不少于 8 亿亩。2013 年，国家林业局出台了第一部国家层面的湿地保护部门规章《湿地保护管理规定》。应该说，历时 5 年的湿地资源调查与同期湿地保护事业的发展，是休戚相关，相互促进的。

第二次全国湿地资源调查取得了丰硕成果。在全球范围内，我国率先完成了《湿地公约》倡导的国家湿地资源调查，首次科学、系统地查明了《湿地公约》所定义的我国湿地资源情况。建立了完整的全国湿地资源空间数据库和属性数据库，掌握了近 10 年来湿地资源动态变化情况，建立了稳定的湿地资源调查专业队伍和专家团队，形成了较为完整的湿地资源调查监测技术规范，完成了全国湿地资源总报告、分省报告和多个专题报告，编制了系列成果图。调查成果达到国际先进水平。

党的十八大对建设生态文明作出了全面部署，强调把生态文明建设放在突出地位，融入经济建设、政治建设、文化建设、社会建设各方面和全过程。在全国第二次湿地资源调查成果的基础上，系统编著形成了中国湿地资源系列图书，为新时期我国湿地保护事业奠定了坚实基础。希望本系列图书能够为我国湿地工作者在开展湿地研究、保护与合理利用工作时提供参考和借鉴。

中国科学院院士

2015 年 9 月

前 言

1995~2000 年，在国家林业局的统一部署下，辽宁省林业厅组织开展了第一次全省湿地资源调查，其成果填补了辽宁省湿地资源调查的空白，为省政府制定湿地保护管理政策、立法、规划等提供了依据。2008 年 12 月，国家林业局关于印发《全国湿地资源调查技术规程（试行）》的通知中指出："为查清我国湿地资源现状，掌握湿地资源动态变化，我局决定开展第二次全国湿地资源调查……"根据全国湿地资源调查进程的总体安排，2009 年 9 月，国家林业局湿地保护管理中心确定辽宁省为 2010 年湿地资源调查省份之一。

辽宁省委省政府高度重视全省湿地资源调查工作，2009 年 9 月，辽宁省林业厅编制完成《辽宁省湿地资源调查工作方案》和《辽宁省湿地资源调查技术实施细则》，上报国家林业局。2010 年先后成立了辽宁省湿地资源调查工作领导小组、领导小组办公室、专家组，确定了由国家林业局调查规划设计院、辽宁省林业调查规划院为本次调查的技术支撑单位；确定了以辽宁省湿地保护中心负责主持，由辽宁省林业调查规划院技术人员为主和各市、县林业主管部门、自然保护区等技术人员参加的调查队伍。2010 年 4 月 8 日，省政府召开湿地资源调查工作协调会议；2010 年 4 月 9 日，辽宁省人民政府办公厅下发了《关于开展全省湿地资源调查工作的通知》。从 2010 年 3 月，开展春季迁徙鸟类调查工作起，外业调查工作全面展开，参加本次湿地资源调查的共 276 人、组成 14 个调查组，历时 10 个月时间（包括春、秋季迁徙鸟类调查及越冬鸟类补充调查），12 月末完成外业调查。2011 年 5 月，完成内业汇总、制图、调查报告编制等工作。2011 年 8 月，由省林业厅组织有关专家开展湿地资源调查成果审定。经修改完善，2011 年 10 月末完成全部内、外业工作并提交成果材料。采用的主要技术标准为《全国湿地资源调查技术规程（试行）》和《辽宁省湿地资源调查技术实施细则》。

本次湿地资源调查方法采用以遥感（RS）为主，地理信息系统（GIS）和全球卫星定位系统（GPS）为辅的"3S"技术。调查范围覆盖符合湿地定义的全省所辖范围内的各类湿地资源，包括面积为 8 公顷（含 8 公顷）以上近海与海岸湿地、湖泊湿地、沼泽湿地、人工湿地以及宽度 10 米以上、长度 5 公里以上的河流湿地。

经调查，辽宁省湿地资源总面积 139.48 万公顷（鸭绿江湿地面积 2.85 万公顷，为中朝两国共有）。其中，近海与海岸湿地 71.32 万公顷，占总面积的 51.13%；河流湿地 25.15 万公顷，占总面积的 18.03%；湖泊湿地 0.29 万公顷，占总面积的 0.21%；沼泽湿地 11.01 万公顷，占总面积的 7.89%；人工湿地 31.71 万公顷，占总面积的

22.74%；另据《辽宁省2010年统计年鉴》数据，2009年全省水稻田面积65.67万公顷。辽宁省陆地总面积14.8万平方公里，湿地面积139.48万公顷，全省湿地率为9.23%。

经调查，全省湿地高等植物82科237属402种。其中，苔藓类植物3科7属11种，蕨类植物5科5属6种，被子植物74科225属385种。全省湿地野生脊椎动物共5纲41目130科412种。其中，鱼纲27目98科237种、两栖纲2目6科15种，爬行纲1目1科1种，鸟纲9目23科157种，哺乳纲2目2科2种。

截至2010年调查时，辽宁省形成了以自然保护区、湿地公园和其他保护形式并存的保护体系。目前纳入到保护体系中的保护面积为59.93万公顷。其中，各级别湿地自然保护区29个（其中国家级5个），湿地公园5个（其中国家级1个）。自然保护区中主管部门为林业的有16个，为环保、渔业、水利、城建等其他部门的有13个。全省湿地自然保护区、保护小区、湿地公园共保护湿地总面积45.04万公顷。其中，湿地自然保护区面积44.67万公顷，保护小区面积0.09万公顷，湿地公园面积0.28万公顷。目前，全省已建立湿地类型自然保护区30处，湿地公园25处，全省湿地资源进一步得到有效保护，极大地促进了湿地生态功能的有效发挥。

通过本次调查，获取了辽宁省全面、准确的湿地资源资料，包括全省各流域、湿地区、行政区的各湿地类型数据，制作了全省湿地分布图、重点调查湿地分布图，实现了图形与数据属性相互直观查询与显示，构建起以“3S”技术为平台的全省湿地资源属性数据库，建立健全了湿地资源档案。

在上述调查成果的基础上，根据国家林业局湿地保护管理中心下发的《省级调查单位湿地资源调查报告编写提纲和编写说明》的要求，组织编写了《辽宁省湿地资源调查报告》。报告编制过程中，对涉及的全省湿地保护管理、水环境、野生动植物、湿地功能等方面的重点问题，由省湿地保护管理中心协调，通过咨询专家、查阅相关资料等方式逐一解决，以保证报告的质量。

在此报告基础上，根据国家林业局湿地保护管理中心《关于下发〈中国湿地资源〉分卷提纲和编撰机构方案的通知》（林湿调字〔2014〕43号）文件，组织有关部门编撰了《中国湿地资源·辽宁卷》。本卷的编制，遵循“客观性、科学性、严谨性、权威性”原则，数据可靠、内容翔实，集中展示了辽宁省第二次湿地资源调查最新成果。《中国湿地资源·辽宁卷》的编撰与出版，填补了辽宁省在湿地生态建设领域内的空白，为各级政府、湿地主管部门及各级湿地自然保护区、湿地公园制定湿地保护管理的方针政策，编制湿地保护规划、计划，指导湿地资源保护与合理利用提供科学翔实的基础资料，为推进湿地保护事业持续健康发展提供了有力支撑。

在本次湿地资源调查和《中国湿地资源·辽宁卷》编写过程中，得到了国家林业局湿地保护管理中心、国家林业局调查规划设计院、辽宁大学、辽宁省林业职业技术学院和各市（县）湿地主管部门，各湿地自然保护区、湿地公园管理部门的大力支持，在此表示衷心的感谢。

《中国湿地资源·辽宁卷》编辑委员会

2014年11月

目 录

辽宁省湿地景观一瞥

辽宁双台河口（现辽河口）国家级自然保护区

大连英那河

丹东鸭绿江口湿地国家级自然保护区

海城三岔河县级自然保护区

白石水库湿地

辽河入海口湿地——五彩滩

沈阳卧龙湖省级自然保护区

丹东双江河湿地市级自然保护区

白鹤（白石水库湿地）

遗鸥（辽宁双台河口国家级自然保护区）

黑鹳（白石水库湿地）

中华秋沙鸭（丹东双江河湿地市级自然保护区）

小䴙䴘（白石水库湿地）

大白鹭（丹东合隆水库湿地）

绿头鸭（葫芦岛六股河入海口滨海湿地市级自然保护区）

白鹤（沈阳卧龙湖）

黑嘴鸥（辽宁双台河口国家级自然保护区）

反嘴鹬（辽宁双台河口国家级自然保护区）

白鹭群（浑河湿地）

蒙古沙鸻（丹东鸭绿江口湿地国家级自然保护区）

斑海豹（辽宁双台河口国家级自然保护区）

辽宁双台河口国家级自然保护区的芦苇

第一章 基本情况

第一节 自然概况

1 地理位置

辽宁省位于中国东北地区南部，地处东北亚地区的中心部位，面向太平洋。地理坐标东经118°50′~125°46′，北纬38°43′~43°26′。陆地总面积14.8万平方公里，占全国的1.5%。辽宁省西南与河北省临界，西北与内蒙古自治区毗邻，东北与吉林省接壤，东南以鸭绿江为界与朝鲜半岛相望，国境线长200多公里，南部辽东半岛插入黄渤海之间，与山东半岛成掎角之势。海岸线总长2920公里，占全国的11.5%。

2 地质地貌

辽宁省地势大体呈自北向南，自东、西两侧向中部倾斜。山地和丘陵大致分列东西两厢，面积约占全省土地面积的三分之二。中部为东北向西南缓倾的长方形平原，面积约占全省土地面积的三分之一。辽宁省地质构造多样，东部太古界分布广泛，属于辽宁省最古老的基底变质岩系，山地多为侵蚀山地丘陵；西部地质构造较齐全，太古界、元古界、中生界均有分布，是全省岩浆活动最剧烈的地带；中部平原为冲积平原和剥蚀低丘沙地，辽河及支流清河、柴河、柳河、招苏台河、浑河、太子河等两岸形成沿河平原，南部形成辽河三角洲，北部为辽北平原。

辽宁省地貌分为3个区。一是东部山地丘陵区；二是西部山地丘陵区；三是中部平原区。东部山地丘陵区为长白山脉向西南的延伸部分。这一地区以沈丹铁路为界划分为东北部低山区和辽东半岛丘陵区。东北部低山区为长白山支脉吉林哈达岭和龙岗山的延续部分，由南北两列平行山地组成，海拔500~800米。辽东半岛丘陵区，以千山山脉为骨干，北起本溪连山关，南至旅顺老铁山，长达340公里，构成辽东半岛的脊梁，山峰大都在500米以下。区内地形破碎，山丘直通海滨，海岸曲折，港湾很多，岛屿棋布，平原狭小，河流短促。西部山地丘陵区，由东北向西南走向的努鲁尔虎山、松岭、黑山、医巫闾山组成。山间形成河谷地带，有大、小凌河发源并流经于此，山势由北向南由海拔1000米向300米过渡，北部与内蒙古高原连接，南部形成海拔50米的狭长平原与渤海相接，此间为辽西走廊。中部平原区，由辽河及其30余条支流冲击而成。地势从东北向西南由海拔250米向辽东湾缓慢倾斜。辽北低丘区与内蒙古接壤处分布着沙丘，辽南平原区至辽东湾沿岸地势平坦、土壤肥沃，还有大面积沼泽洼地、漫滩和许多牛轭湖(图1-1)。

图**1-1**　辽宁省地形地势

3　气　候

辽宁省位于中纬度地区，北接内蒙古高原，南临海洋，属于暖温带大陆季风气候区。主要气候特点是雨热同季、日照丰富、寒冷期长、春秋季短、东湿西干、平原风大。全省年平均气温在5～11℃，7月份最高，平均达22～25℃，极端最高气温可达40℃以上；全年降水量在400～1150毫米，由东向西递减，7～8月为雨季，降水量占全年的70%左右；年蒸发量1390～2018毫米；平均干燥度为0.71～1.19；平均相对湿度49%～70%(辽西地区春季平均湿度仅为35%～50%)；无霜期约125～215天；≥10℃积温为2893～3710℃；年日照时数2300～3000小时。

4　水　文

辽宁省境内有大小河流441条，其中流域面积在5000平方公里以上的河流有16条，流域面积在1000～5000平方公里的河流有35条，流域面积在100～1000平方公里的河流有390条。全省河流总长度19745公里，主要有辽河、浑河、太子河、绕阳河、大凌河和鸭绿江等。辽河是我国七大河流之一，发源于河北省七老图山脉的光头山，流经河北、内蒙古、吉林和辽宁4省(自治区)，在辽宁省盘山县双台河口(现辽河口)注入渤海，全长1390公里，在辽宁省境内河道长度480公里。辽河流域总面积21.96万平方公里，在辽宁省内流域面积6.95万平方公里。其他入海河流主要有大洋河入黄海；太子河、浑河、大凌河、小凌河入渤海。沿海地区因地势低洼、坡降小、泄洪能力差，加上海水顶托作用，形成了著名的辽河三角洲湿地。

依据《辽宁省水资源公报(2010 年)》，2009 年全省地表水资源量 260. 52 亿立方米，折合径流深 179. 0 毫米，比多年平均值少 13. 9%，比上年少 53. 0%。全省流域三级分区，除辽河柳河口以下和太子河及大辽河干流比多年平均值多以外，其他各流域地表水资源量均比多年平均值少。与多年平均值相比，偏差最多的流域是东辽河和滦河山区，分别比多年平均值少 57. 4% 和 57. 0%；其次是辽河柳河口以上，比多年平均值少 40. 0%；第二松花江丰满以上和沿渤海西部诸河分别比多年平均值少 37. 0% 和 33. 4%；西辽河比多年平均值少 26. 3%；浑河和沿黄渤海东部诸河比多年平均值少 12. 4% 和 5. 6%(表 1-1、表 1-2)。

2009 年全省地下水资源量 111. 92 亿立方米，比多年平均值少 10. 2%。其中，山丘区地下水资源量 60. 73 亿立方米，平原区地下水资源量 57. 92 亿立方米(其中，山丘区与平原区重复计算量约 6. 73 亿立方米)。

表 1-1 辽宁省主要河流概况

流 域	河流名称	河流长度(公里)		发源地
		全 长	省内长度	
辽河区	老哈河	450. 0	127. 0	河北省平泉县七老图山的光头山
	东辽河	447. 9	66. 0	吉林省辽源市哈达岭的萨哈岭
	清河	170. 7	170. 7	清源县英额门乡老秃顶山
	寇河	117. 4	117. 4	西丰县振兴镇松树村
	柴河	142. 8	142. 8	清源县南八家乡朱家沟
	凡河	108. 1	108. 1	铁岭县白旗寨乡夹河场
	秀水河	184. 3	130. 0	内蒙古科尔沁左翼后旗常胜镇
	养息牧河	106. 7	106. 7	彰武县二道河子乡
	柳河	253. 0	170. 0	内蒙古奈曼旗打鹿山
	辽河干流	1390. 0	480. 0	河北省平泉县七老图山的光头山
	浑河	415. 4	415. 0	清源县湾甸子镇滚马岭
	蒲河	204. 9	204. 9	铁岭县横道乡
	太子河	412. 9	412. 9	新宾县平顶山镇
	细河	119. 5	119. 5	本溪县连山关乡
	大凌河	397. 4	397. 4	建昌县黑山北水泉沟
	牤牛河	136. 0	100. 0	内蒙古敖汉旗南营子
	小凌河	206. 2	206. 2	朝阳县瓦房子乡助安喀喇山
	女儿河	134. 0	134. 0	兴城市药王庙乡五顶山
	绕阳河	283. 1	283. 1	阜新县扎兰营子乡查哈尔山
	六股河	153. 2	153. 2	建昌县谷杖子乡上柳杖子
	狗河	76. 9	76. 9	绥中县王家店乡

（续）

流　域	河流名称	河流长度(公里)		发源地
		全　长	省内长度	
辽河区	碧流河	159.1	159.1	盖州市卧龙泉乡新开岭
	英那河	94.9	94.9	岫岩县龙潭乡
	大洋河	201.7	201.7	岫岩县阔树岭唐帽山
	鸭绿江干流	790.0	200.0	吉林省长白山天池
	浑江	446.9	200.0	吉林省浑江市龙岗山
	富尔江	113.4	113.4	吉林省与辽宁省交界处龙岗山脉的滚马岭
	瑷河	188.9	188.9	宽甸县双山子乡四平村
松花江区	辉发河	231.6	29.5	清原县南山城
海河区	青龙河	200.0	50.0	河北省平泉县

表 1-2　辽宁省大型水库概况表

序　号	水库名称	所属河流	所在乡镇	总库容(万立方米)
1	庄河市朱家隈水库	庄河	太平岭	15560
2	庄河市转角楼水库	胡里河	青堆、塔岭	13560
3	普兰店市刘大水库	大沙河	沙包	10300
4	辽宁省大伙房水库	浑河	章党、上马、南杂木、上夹河、碾盘	218700
5	东港市铁甲水库	柳林河	汤池	23400
6	凤城市土门水库	土牛河	杨木	18600
7	绥中县大风口水库	石河	范家	19100
8	葫芦岛市乌金塘水库	女儿河	黄土坎	31750
9	绥中县龙屯水库	王宝河	高甸子	10830
10	彰武县闹德海水库	柳河	满堂红	21700
11	辽宁省汤河水库	汤河	汤河、下达河、河栏	70700
12	辽宁省葠窝水库	太子河	安平、鸡冠山、寒岭	79100
13	铁岭县柴河水库	柴河	熊官屯	64500
14	铁岭县榛子岭水库	凡河	鸡冠山	20850
15	开原市南城子水库	叶赫河	威远堡	23520
16	辽宁省清河水库	清河	清河	97100
17	建昌县宫山咀水库	大凌河	牤牛营子	12040
18	辽宁省观音阁水库	太子河	小市	216800

（续）

序 号	水库名称	所属河流	所在乡镇	总库容（万立方米）
19	宽甸县太平哨水库	鸭绿江支流浑江	太平哨	18400
20	宽甸县水丰水库	鸭绿江	红石大西岔	1466000
21	桓仁水库	浑江	桓仁	346000
22	大连碧流河水库	碧流河	双塔	93400
23	朝阳阎王鼻子水库	大凌河	台子	21700
24	辽宁省白石水库	牤牛河	上园	164500
25	辽宁省石佛寺水库	辽河	黄家	18600

5 土 壤

辽宁省境内土壤主要跨两个地带性土壤分布区，即东部的棕壤区和西部的褐土区。经土壤普查，全省土壤有11个土类31个亚类155个土属602个土种。棕壤分布面较广，在辽东和辽西丘陵山地均有分布，成土母质为片麻岩、花岗岩等风化残积堆积物及第四纪红土和黄土状沉积物，该土类多已被垦殖，形成农地或林地，土壤肥力较高；暗棕壤的分布量并不多，主要分布在海拔700～800米以上的辽东山地；褐土主要分布在辽西地区，大都发育在碳酸盐岩母质上，经过明显的残积黏化和钙化过程，使碳酸盐在土壤中淋溶与淀积。全省的褐土区又是水土流失最严重的地区，土壤干旱瘠薄，肥力较差，作物产量低。草甸土集中分布在辽河平原，山丘河流两岸也有零星分布，成土母质多属淤积物，土壤肥力较高，是全省粮食产区的主要土类。风沙土主要分布在辽北的彰武、康平、新民的柳河流域以及昌图一带，母质以中、细沙为主，大多是第四纪河、湖相沉积物，经风蚀、搬运及堆积作用而形成。此土类的腐殖质含量少，土壤肥力低，物理性质不良。另外，还有盐碱土、水稻土、沼泽土等土壤类型零星分布。

6 动植物资源概况

辽宁省独特的地理位置和类型多样的生态环境，为野生动植物生存、生长提供了良好的条件。

6.1 野生植物资源

辽宁省地处长白、华北、蒙古三大植物区系的交汇处，各植物区系成分相互渗透，交错分布，具有过渡性、混杂性和不稳定的特点。全省现有高等植物161科2200余种，其中木本植物68科550余种，草本植物93科1650余种。长白植物区系分布在辽东山地丘陵地区，乔木代表种有红松、紫杉、云杉、枫桦、蒙古栎、花曲柳、椴树、胡桃楸等，灌木代表种有毛榛、东北山梅花、花木兰等；草本植物代表种有细辛、薹草等。华北植物区系分布在辽西和中部平原地区，乔木代表种有油松、赤松、杨、柳、麻栎等，灌木代表种有酸枣、荆条、崖椒、照山白杜鹃等；草本植物代表种有白羊草、黄背草等。蒙古植物区系分布在建平和阜新至昌图以北地区，乔木树种以人工引入的油松、樟子松、杨、榆等为主，原生植物仅残留小片油松、野生山杨、辽东栎等；灌木代表种有小红柳、欧李、兴安胡枝子等；草本植物代表种有羊草、隐子草等。

6.2 野生动物资源

辽宁省有野生脊椎动物865种，其中兽类81种，主要种类有狼、野猪、狍子、黑熊等；鸟类418种，主要种类有丹顶鹤、大白鹭、黑脸琵鹭、黑嘴鸥等；爬行类28种，主要种类有棕黑锦蛇、白眉蝮蛇、黑眉蝮蛇、团花锦蛇、蛇岛蝮蛇等；两栖类16种，主要种类有中国林蛙、桓仁林蛙、中华蟾蜍、花背蟾蜍、黑斑蛙等；鱼类322种，主要种类有鲤、鲫、青鱼、草鱼、圆斑星鲽、乔氏新银鱼、弹涂鱼、红狼牙鰕虎鱼等。

第二节 社会经济概况

1 行政区划

截至2009年年末，全省下辖地级市14个；县级市17个，县19个，自治县8个，市辖区56个；镇577个，乡357个，街道570个。

辽宁省市、县级行政区划见表1-3。

表1-3 辽宁省市、县级行政区划

序号	行政单位名称	数量(个)	市辖县(市、区)
1	沈阳市	13	和平区、沈河区、大东区、皇姑区、铁西区、苏家屯区、东陵区、沈北新区、于洪区、新民市、辽中县、康平县、法库县
2	大连市	10	中山区、西岗区、沙河口区、甘井子区、旅顺口区、金州区、瓦房店市、庄河市、普兰店市、长海县
3	鞍山市	7	铁东区、铁西区、立山区、千山区、海城市、台安县、岫岩满族自治县
4	抚顺市	7	新抚区、东洲区、望花区、顺城区、抚顺县、新宾满族自治县、清原满族自治县
5	本溪市	6	平山区、溪湖区、明山区、南芬区、本溪满族自治县、桓仁满族自治县
6	丹东市	6	元宝区、振兴区、振安区、东港市、凤城市、宽甸满族自治县
7	锦州市	7	古塔区、凌河区、太和区、凌海市、北镇市、黑山县、义县
8	营口市	6	站前区、西市区、老边区、鲅鱼圈区、盖州市、大石桥市
9	阜新市	7	海州区、太平区、新邱区、细河区、清河门区、阜新蒙古族自治县、彰武县
10	辽阳市	7	白塔区、文圣区、宏伟区、弓长岭区、太子河区、灯塔市、辽阳县
11	铁岭市	7	银州区、清河区、调兵山市、开原市、铁岭县、昌图县、西丰县

（续）

序号	行政单位名称	数量(个)	市辖县(市、区)
12	朝阳市	7	双塔区、龙城区、北票市、凌源市、朝阳县、建平县、喀喇沁左翼蒙古族自治县
13	盘锦市	4	双台子区、兴隆台区、盘山县、大洼县
14	葫芦岛市	6	连山区、南票区、龙港区、兴城市、绥中县、建昌县
合　计		100	

2　人口、民族

依据《辽宁省2010年年鉴》数据统计，截至2009年年末，辽宁省总人口为4256万人。其中男性人口为2149.9万人，占50.5%；女性人口为2106.1万人，占49.5%。居住在城镇的人口为2144.1万人，占50.4%；居住在乡村的人口为2111.9万人，占49.6%。

辽宁省是全国少数民族人口较多的省份之一。全省除汉族以外，还有满族、蒙古族、回族、朝鲜族、锡伯族等51个少数民族。少数民族人口670万人，占全省总人口的16.02%。

3　经济发展及工农业生产情况

依据《辽宁省2010年年鉴》数据统计，辽宁省2009年全年实现生产总值15212.5亿元，按可比价格计算，比上年增长11.3%。农业生产稳步增长，全年全省农林牧渔业实现增加值1414.9亿元，按可比价格计算，比上年增长8.67%。粮食总产量达到1591万吨，比上年减少269.3万吨。工业生产平稳、快速增长，全年规模以上工业完成增加值6925.63亿元，按可比价格计算，比上年增长8.9%。据国家统计局辽宁省调查总队调查统计，全省城镇人均可支配收入15761.38元，比上年增长9.51%。农村居民人均纯收入5958元，比上年增长6.84%。

4　湿地文化

辽宁独特的地理环境，孕育了丰富的湿地文化资源。通过多样的湿地文化的传承和发展，极大地促进了地区经济、社会的全面发展。依据湿地特有属性和所发挥的功能、价值的不同，辽宁省湿地文化可划分为物质文化和非物质文化两大类。

物质文化主要包括耕作和饮食文化、能源文化、纸文化、中医药文化等。水稻是辽宁的优势农作物品种，具有悠久的栽培历史。2009年，水稻种植面积达到65.67万公顷，产量达到506万吨。另外，湿地内的碱蓬、莲、水芹、荠等天然的食物资源，有益于人类身心健康。辽宁海岸线总长2920余公里，浅海水域面积达到59.89万公顷，境内有大小河流441条，水库952座，为水产品捕捞与养殖业的持续发展带来得天独厚的资源优势。据调查统计，2009年，水产品产量达到534.7万吨，其中淡水产品产量96.8万吨，海洋捕捞148.3万吨，海水养殖289.6万吨。水产品的生产，极大地丰富了人民群众的物质文化生活。人类文明的进步和文化的发展在满足自身物质生活需要的同时，最离不开的是对能源的追求，能源对人类的物质文明有着巨大的影响。水能利用，是湿地所独具的重要生态服务功能。辽宁省河流众多，径流丰沛，落差巨大，蕴藏着丰富的水能资源。据调查，全省水能蕴藏量达175.19万千瓦，可装机容量163.34万千瓦，可开发年发电量55.85亿千瓦时。纸是我国古代科学技术的四大发明之一，它与指南针、火药、印刷术一起，给我国古代文化的繁荣提供了物质、技术的基础。芦苇以其质地细腻，便于加工，而成为造纸业的优良原材料。辽宁省芦苇资源丰富，分布广泛。全国最大的芦苇湿地位于盘锦市，苇田收割面积在5.6万公顷，年产芦苇50万吨，主要应用于造纸业。中医药作为中国传统医药学的统称，距今已有3500年以上的发展历史，中医药学不仅在历史上曾为中华民族的繁荣昌盛做出过重大贡献，而且在现代医学和生命科学高度发展的今天，也发挥着重要作用。湿地内丰富的野生植物资源，许多具有重要的药用价值。据调查，辽宁省湿地内药用植物近200余种，丰富了中华中医药宝典。

非物质文化主要包括节庆文化、美学文化、休闲文化、生态文化、历史文化、地域文化等。湿地是地球上生物多样性十分丰富和生产力较高的生态系统，具有巨大的生态功能，被誉为"地球之肾""生命的摇篮""物种基因库"和"鸟类乐园"。湿地也是传承人类文明的重要载体，千百年来，湿地以其特有的美学、教育、文化等功能，成为人类音乐、美术、摄影和文学等艺术的创作源泉，孕育了灿烂的传统文化。湿地内分布有众多的历史人文古迹，记忆着时代的变迁，传承着历史的印记。湿地类型多，分布范围广，差异性显著，充分体现了湿地不同的地域文化、民俗文化特色。辽宁省利用湿地文化的多样性，开展了多种多样的活动，使人们沐浴湿地文化。每年4~5月，鸭绿江口湿地举办国际观鸟节，开展观鸟、摄影等活动，每年提出不同的主题，诠释人与自然的和谐。卧龙湖湿地冬捕节，彰显契丹辽代文化、传承历史，昭示未来。双台河口湿地红海滩、万顷芦苇，展示着湿地植物魅力。丹东鸭绿江湿地断桥，已成为著名景点，以其历史吸引众多游客前来游览、观光。辽宁具有漫长的海岸线、密集的河流水系、众多的库塘成为全国湿地旅游资源最丰富的省份之一。湿地独特的景观、优美的环境、观赏价值极高的野生动植物，为人们提供了观鸟、赏花、荡舟、垂钓等机会，成为休闲、观光、娱乐的绝佳场所，丰富着人们的精神文化生活。

第二章 湿地类型

第一节 湿地类型与面积

1 湿地类面积

辽宁省湿地总面积 139. 48 万公顷，按照湿地分类标准，划分为 5 个湿地类。其中，近海与海岸湿地 71. 32 万公顷，占总面积的 51. 13%；河流湿地 25. 15 万公顷，占总面积的 18. 03%；湖泊湿地 0. 29 万公顷，占总面积的 0. 21%；沼泽湿地 11. 01 万公顷，占总面积的 7. 89%；人工湿地 31. 71 万公顷，占总面积的 22. 74%(图 2-1、表 2-1)。其中，近海与海岸湿地面积最大；面积最小的湿地类为湖泊湿地。

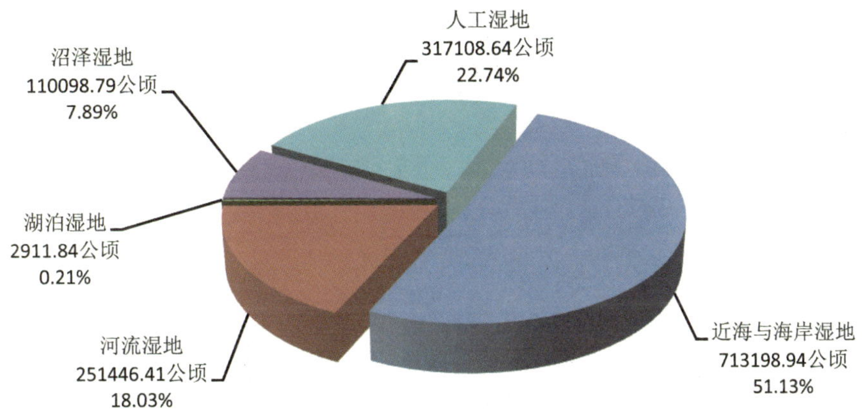

图 **2-1** 辽宁省各湿地类面积比例构成

辽宁省湿地分布图如图 2-2。辽宁省重点调查湿地分布图如图 2-3。辽宁省近海与海岸湿地分布图如图 2-4。辽宁省河流湿地分布图如图 2-5。辽宁省湖泊湿地分布图如图 2-6。辽宁省沼泽湿地分布图如图 2-7。辽宁省人工湿地分布图如图 2-8。

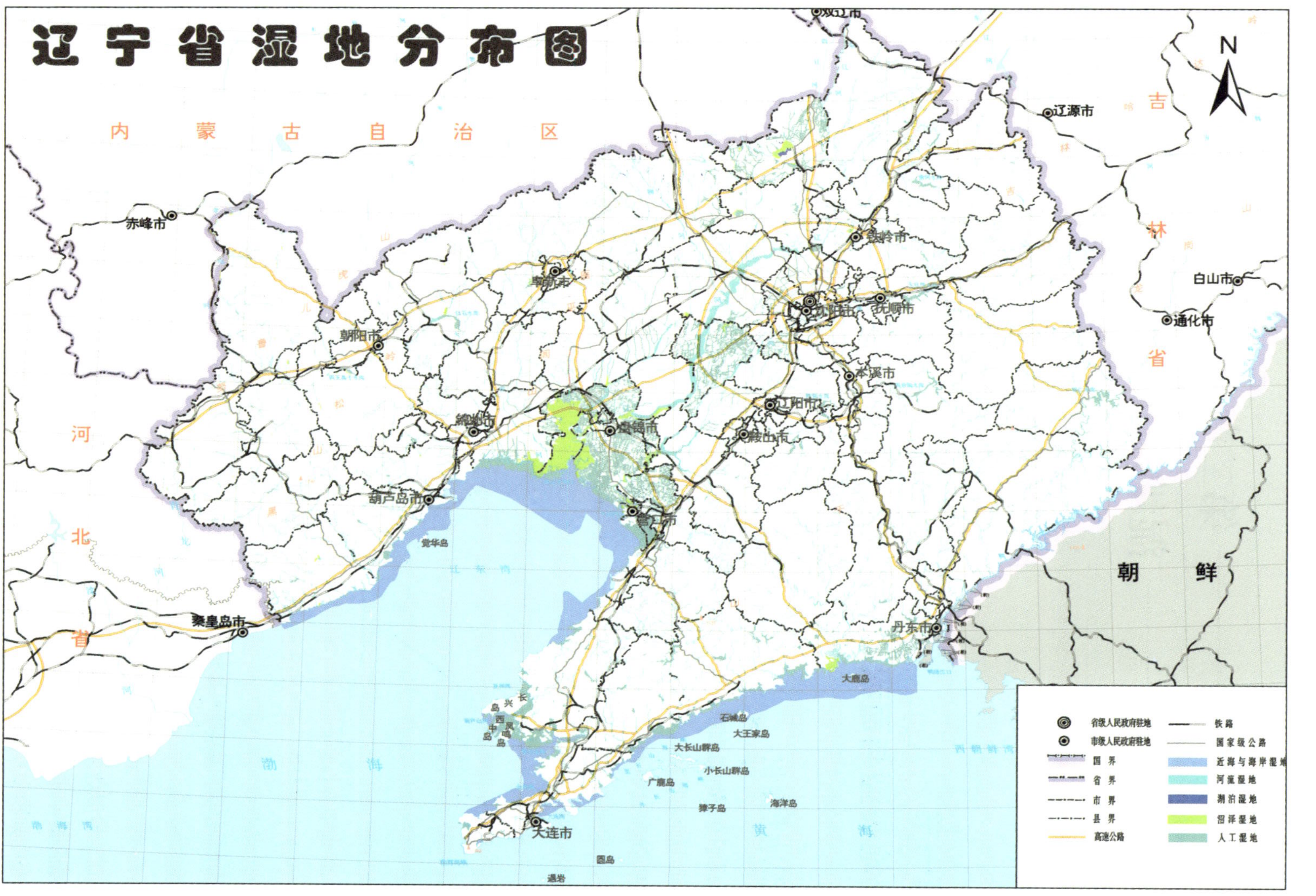

图 2-2 辽宁省湿地分布图

图 2-3　辽宁省重点调查湿地分布图

图 2-4 辽宁省近海与海岸湿地分布图

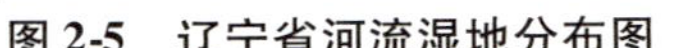

图 2-5 辽宁省河流湿地分布图

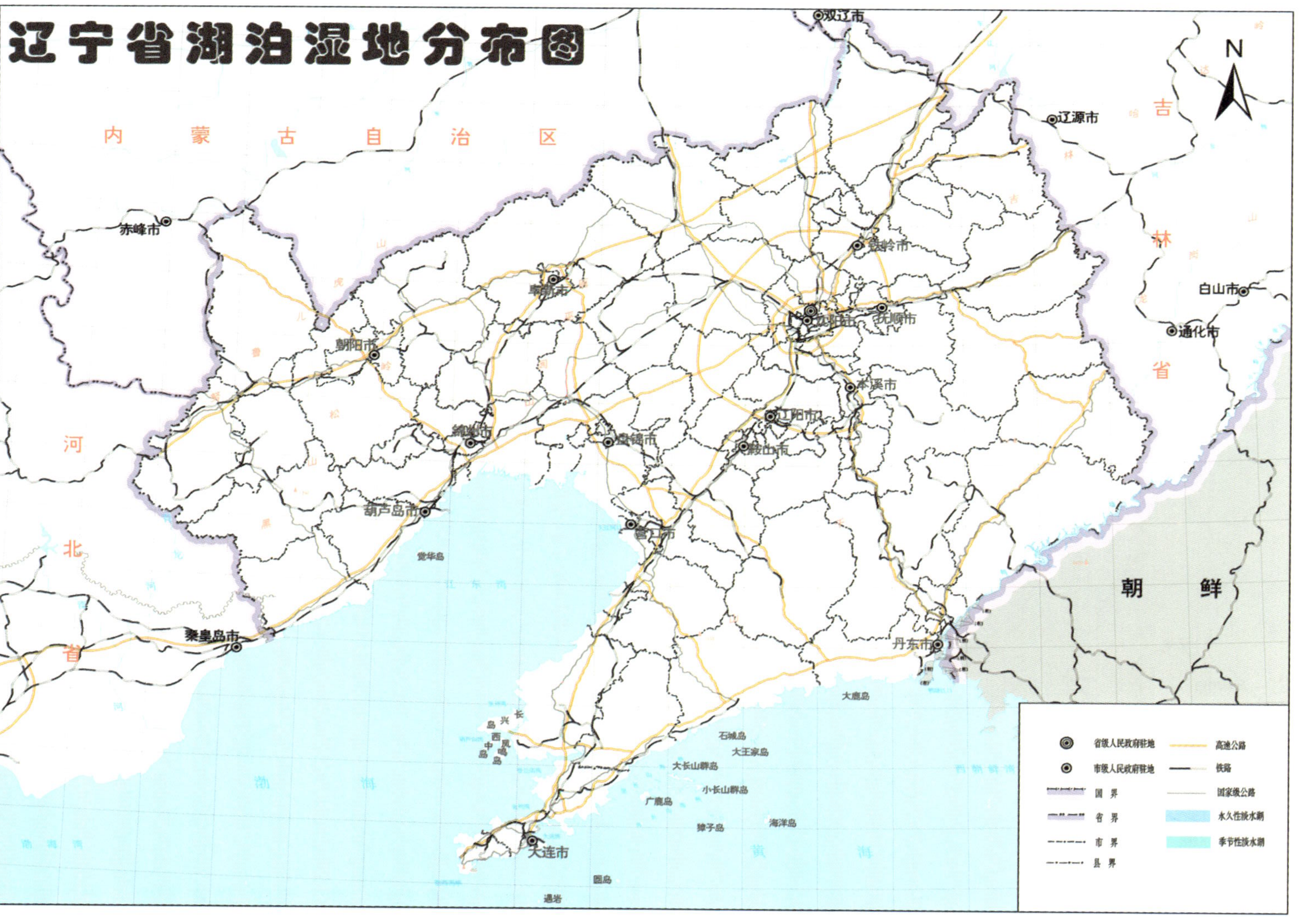

图 2-6 辽宁省湖泊湿地分布图

图 2-7　辽宁省沼泽湿地分布图

图 2-8 辽宁省人工湿地分布图

表 2-1　辽宁省各湿地类面积与比例

湿地类	面积(公顷)	比例(%)
近海与海岸湿地	713198. 94	51. 13
河流湿地	251446. 41	18. 03
湖泊湿地	2911. 84	0. 21
沼泽湿地	110098. 79	7. 89
人工湿地	317108. 64	22. 74
总　计	1394764. 62	100

2　近海与海岸湿地

全省近海与海岸湿地面积 71. 32 万公顷，包括浅海水域、岩石海岸、沙石海滩、淤泥质海滩、潮间盐水沼泽、河口水域、三角洲/沙洲/沙岛 7 个湿地型。其中浅海水域湿地型面积 59. 89 万公顷，占近海与海岸湿地面积的 83. 98%；岩石海岸 0. 02 万公顷，占近海与海岸湿地面积的 0. 03%；沙石海滩面积 0. 51 万公顷，占近海与海岸湿地面积的 0. 72%；淤泥质海滩面积 6. 32 万公顷，占近海与海岸湿地面积的 8. 86%；潮间盐水沼泽面积 0. 53 万公顷，占近海与海岸湿地面积的 0. 74%；河口水域面积 2. 26 万公顷，占近海与海岸湿地面积的 3. 18%；三角洲/沙洲/沙岛面积 1. 78 万公顷，占近海与海岸湿地面积的 2. 49%（表 2-2、图 2-9）。

表 2-2　辽宁省近海与海岸湿地各湿地型面积与比例

湿地型	面积(公顷)	比例(%)
浅海水域	598923. 31	83. 98
岩石海岸	223. 53	0. 03
沙石海滩	5125. 30	0. 72
淤泥质海滩	63206. 71	8. 86
潮间盐水沼泽	5309. 18	0. 74
河口水域	22646. 38	3. 18
三角洲/沙洲/沙岛	17764. 53	2. 49
总　计	713198. 94	100

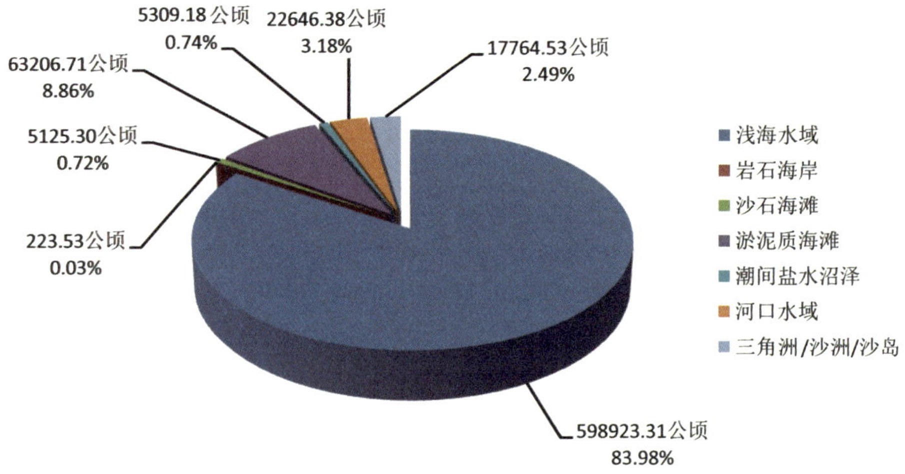

图 **2-9** 辽宁省近海与海岸湿地各湿地型面积比例构成

3 河流湿地

全省河流湿地面积25.15万公顷，包括永久性河流、季节性河流及洪泛平原湿地3个湿地型。其中，永久性河流面积15.20万公顷，占河流湿地面积的60.44%；季节性河流面积2.86万公顷，占河流湿地面积的11.36%；洪泛平原面积7.09万公顷，占河流湿地面积的28.20%（表2-3、图2-10）。

表 2-3 辽宁省河流湿地各湿地型面积与比例

湿地型	面积（公顷）	比例（%）
永久性河流	151965.30	60.44
季节性河流	28577.17	11.36
洪泛平原	70903.94	28.20
总 计	251446.41	100

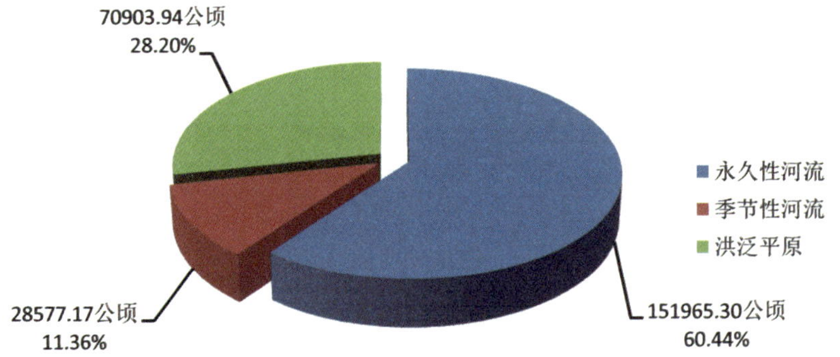

图 **2-10** 辽宁省河流湿地各湿地型面积比例构成

4　湖泊湿地

全省湖泊湿地面积0.29万公顷，包括永久性淡水湖、季节性淡水湖2个湿地型。其中永久性淡水湖面积0.27万公顷，占湖泊湿地面积的92.16%；季节性淡水湖面积0.02万公顷，占湖泊湿地面积的7.84%（表2-4、图2-11）。

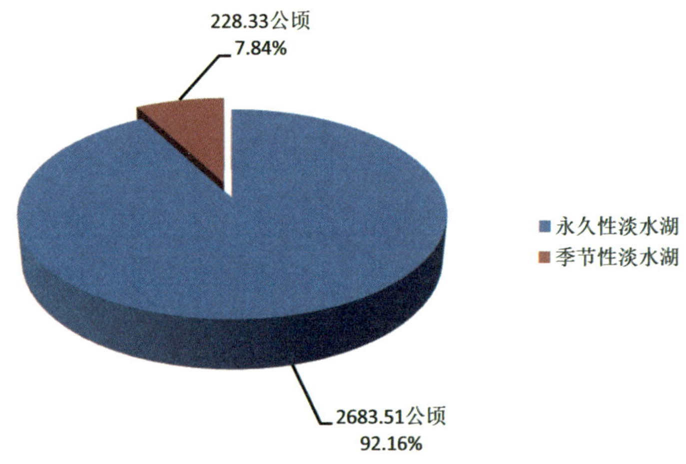

图2-11　辽宁省湖泊湿地各湿地型面积比例构成

表2-4　辽宁省湖泊湿地各湿地型面积与比例

湿地型	面积（公顷）	比例（%）
永久性淡水湖	2683.51	92.16
季节性淡水湖	228.33	7.84
总　计	2911.84	100

5　沼泽湿地

全省沼泽湿地面积11.01万公顷，包括草本沼泽、灌丛沼泽和沼泽化草甸3个湿地型。其中草本沼泽面积10.78万公顷，占沼泽湿地面积的97.91%；灌丛沼泽面积0.004万公顷，占沼泽湿地面积的0.03%；沼泽化草甸面积0.23万公顷，占沼泽湿地面积的2.06%（表2-5、图2-12）。

表2-5　辽宁省沼泽湿地各湿地型面积与比例

湿地型	面积（公顷）	比例（%）
草本沼泽	107796.37	97.91
灌丛沼泽	39.65	0.03
沼泽化草甸	2262.77	2.06
总　计	110098.79	100

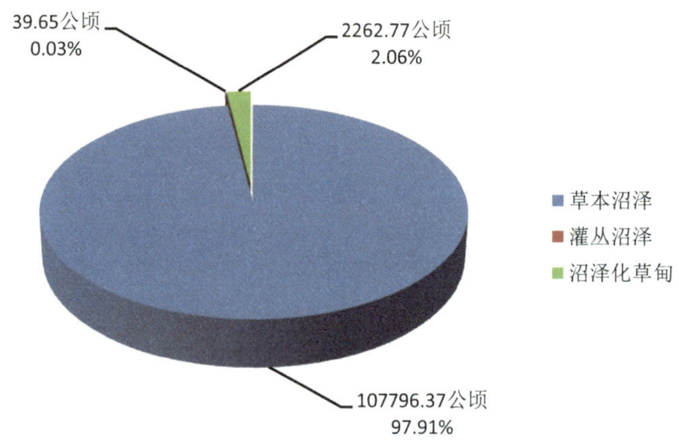

图 **2-12** 辽宁省沼泽湿地各湿地型面积比例构成

6 人工湿地

全省人工湿地面积 31. 71 万公顷，包括库塘、输水河、水产养殖场、盐田 4 个湿地型。其中库塘湿地面积 12. 21 万公顷，占人工湿地面积的 38. 51%；输水河面积 1. 64 万公顷，占人工湿地面积的 5. 16%；水产养殖场面积 13. 95 万公顷，占人工湿地面积的 43. 99%；盐田面积 3. 91 万公顷，占人工湿地面积的 12. 34%(表 2-6、图 2-13)。

表 2-6 辽宁省人工湿地各湿地型面积与比例

湿地型	面积(公顷)	比例(%)
库塘	122131. 16	38. 51
输水河	16371. 43	5. 16
水产养殖场	139484. 35	43. 99
盐田	39121. 70	12. 34
合 计	317108. 64	100

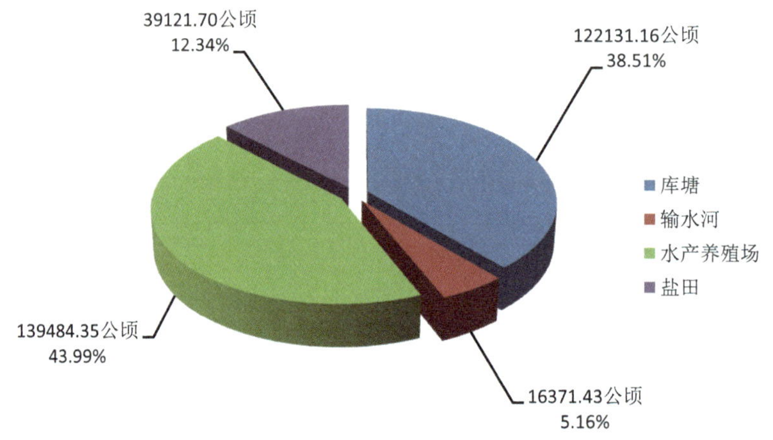

图 **2-13** 辽宁省人工湿地各湿地型面积比例构成

第二节
湿地的分布规律

辽宁省位于我国东北地区的南端，境内两侧是山地丘陵，东有长白山山脉的龙岗山山系和千山山系，西有阴山山脉的医巫闾山山系和努鲁尔虎山山脉，北部高起漫岗与松花江平原相邻，中间是辽河平原，形成从东北向西南倾斜的簸箕状的地势。其东与黄、渤二海相临，海岸线东起鸭绿江口，西至山海关老龙头，全长2920余公里。全省境内水系河网密布，有大小河流441条，主要水系为辽河、浑河、太子河、鸭绿江、绕阳河、大凌河、小凌河、滦河与沿海诸河等。另外，辽宁境内有水库952座，其中较大的有水丰水库、大伙房水库、观音阁水库、桓仁水库、白石水库等，分布于辽宁各地。辽宁独特的地理环境形成了以近海与海岸、河流、湖泊、沿海沼泽等为主要分布带的大面积天然湿地，以及星罗棋布的库塘、水产养殖场、盐田、输水河等人工湿地，呈现出类型多、面积大、分布广、区域差异显著、生物多样性丰富等特点。

1　全省湿地分布规律

1.1　各流域湿地类及面积

根据《全国湿地资源调查技术规程(试行)》中全国一、二、三级流域规定，将全省划分为4个一级流域，9个二级流域，13个三级流域。经调查，辽河区湿地面积67.96万公顷，占湿地总面积的48.72%；松花江区湿地面积0.04万公顷，占湿地总面积的0.03%；海河区湿地面积0.14万公顷，占湿地总面积的0.10%；滨海湿地湿地面积71.34万公顷，占湿地总面积的51.15%(图2-14、表2-7)。

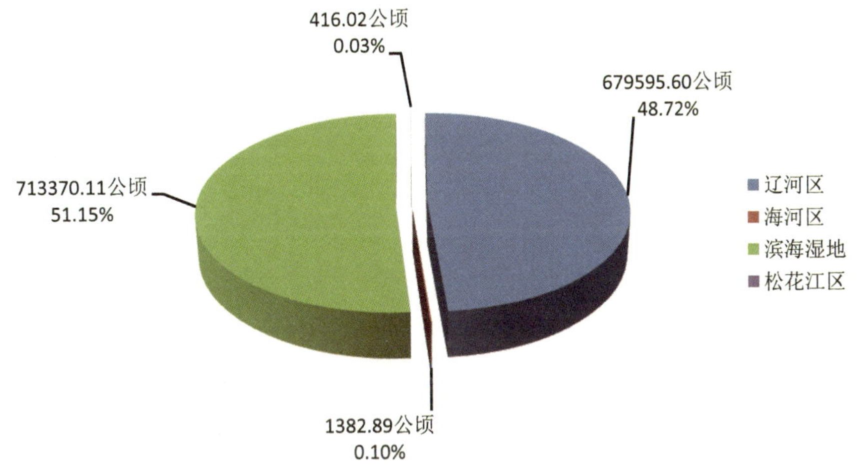

图 **2-14**　辽宁省一级流域湿地面积比例构成

表 2-7 辽宁省各流域湿地类面积统计(公顷)

一级流域	二级流域	三级流域	合 计	湿地类				
				近海与海岸湿地	河流湿地	湖泊湿地	沼泽湿地	人工湿地
辽河区	西辽河	西拉木伦河及老哈河	3134.86		2427.94		706.92	
	东辽河	东辽河	942.15		556.75			385.40
	辽河干流	柳河口以上	78672.91		47603.74	2677.52	6597.09	21794.56
		柳河口以下	162321.94		57119.60	188.31	79814.78	25199.25
	浑河、太子河	浑河	44148.69		21886.29	24.07	1043.36	21194.97
		太子河及大辽河干流	59079.65		24571.17	12.97	7193.85	27301.66
	鸭绿江	浑江口以上	19119.18		8035.71			11083.47
		浑江口以下	39045.13		14996.35		246.09	23802.69
	东北沿黄、渤海诸河	沿渤海西部诸河	84026.91		43230.61	8.97	9125.17	31662.16
		辽东沿黄、渤海诸河	189104.18		29337.45		5347.50	154419.23
	小 计		679595.60		249765.61	2911.84	110074.76	316843.39
松花江区	第二松花江	丰满以上	416.02		344.75			71.27
海河区	滦河及冀东沿海诸河	滦河山区	1382.89		1336.05		24.03	22.81
滨海湿地	滨海湿地	滨海湿地	713370.11	713198.94				171.17
总 计			1394764.62	713198.94	251446.41	2911.84	110098.79	317108.64

1.1.1 辽河区

辽河区涉及西辽河，东辽河，辽河干流，浑河，太子河，鸭绿江，东北沿黄、渤海诸河 6 个二级流域；西拉木伦河及老哈河，东辽河，柳河口以上，柳河口以下，浑河，太子河及大辽河干流，浑江口以上，浑江口以下，沿渤海西部诸河，辽东沿黄、渤海诸河 10 个三级流域。该流域范围广、面积大，河流水系密布，人为活动密集，湿地类型多样。在该流域内以河流湿地、沼泽湿地、人工湿地为主。其中河流湿地面积 24.98 万公顷，占辽河区湿地面积的 36.75%；沼泽湿地面积 11.01 万公顷，占辽河区湿地面积的 16.20%；人工湿地面积 31.68 万公顷，占辽河区湿地面积的 46.62%。全省湖泊湿地全部分布在该区，面积 0.29 万公顷，占辽河区湿地面积的 0.43%。

在辽河区二级流域中，以东北沿黄、渤海诸河湿地面积最大，其次为辽河干流。

西辽河湿地面积 0.31 万公顷，占辽河区湿地面积的 0.46%。其中，河流湿地面积 0.24 万公顷；沼泽湿地面积 0.07 万公顷。

东辽河湿地面积0.09万公顷，占辽河区湿地面积的0.14%。其中，河流湿地面积0.05万公顷；人工湿地面积0.04万公顷。

辽河干流湿地面积24.10万公顷，占辽河区湿地面积的35.46%。其中，河流湿地面积10.47万公顷；湖泊湿地面积0.29万公顷；沼泽湿地面积8.64万公顷；人工湿地面积4.70万公顷。

浑河、太子河湿地面积10.32万公顷，占辽河区湿地面积的15.19%。其中，河流湿地面积4.65万公顷；湖泊湿地面积0.004万公顷；沼泽湿地面积0.82万公顷；人工湿地面积4.85万公顷。

鸭绿江湿地面积5.82万公顷，占辽河区湿地面积的8.56%。其中，河流湿地面积2.30万公顷，沼泽湿地面积0.03万公顷，人工湿地面积3.49万公顷。

东北沿黄、渤海诸河湿地面积27.31万公顷，占辽河区湿地面积的40.19%。其中，河流湿地面积7.26万公顷；湖泊湿地面积8.97公顷；沼泽湿地面积1.45万公顷；人工湿地面积18.61万公顷。

在辽河区三级流域中，以辽东沿黄、渤海诸河流域湿地面积最大，其次为柳河口以下流域。

西拉木伦河及老哈河湿地面积0.31万公顷。其中，河流湿地面积0.24万公顷；沼泽湿地面积0.07万公顷。

东辽河湿地面积0.09万公顷。其中，河流湿地面积0.05万公顷；人工湿地面积0.04万公顷。

柳河口以上湿地面积7.87万公顷。其中，河流湿地面积4.76万公顷；湖泊湿地面积0.27万公顷；沼泽湿地面积0.66万公顷；人工湿地面积2.18万公顷。

柳河口以下湿地面积16.23万公顷。其中，河流湿地面积5.71万公顷；湖泊湿地面积0.02万公顷；沼泽湿地面积7.98万公顷；人工湿地面积2.52万公顷。

浑河湿地面积4.41万公顷。其中，河流湿地面积2.19万公顷；湖泊湿地面积0.002万公顷；沼泽湿地面积0.10万公顷；人工湿地面积2.12万公顷。

太子河及大辽河干流湿地面积5.91万公顷。其中，河流湿地面积2.46万公顷；湖泊湿地面积0.001万公顷；沼泽湿地面积0.72万公顷；人工湿地面积2.73万公顷。

浑江口以上湿地面积1.91万公顷。其中，河流湿地面积0.80万公顷；人工湿地面积1.11万公顷。

浑江口以下湿地面积3.90万公顷。其中，河流湿地面积1.50万公顷；沼泽湿地面积0.02万公顷；人工湿地面积2.38万公顷。

沿渤海西部诸河湿地面积8.40万公顷。其中，河流湿地面积4.32万公顷；沼泽湿地面积0.91万公顷；人工湿地面积3.17万公顷；湖泊湿地面积0.001万公顷。

辽东沿黄渤海诸河湿地面积18.91万公顷。其中，河流湿地面积2.93万公顷；沼泽湿地面积0.54万公顷；人工湿地面积15.44万公顷。

1.1.2　松花江区

松花江区包含第二松花江1个二级流域和丰满以上1个三级流域，主要分布在抚顺市清原县的辉发河。辉发河发源于清原县龙岗山脉中部，为第二松花江第一大支流，是丰满水库的主要补给水源。该流域湿地类包含河流湿地与人工湿地2个。其中，河流湿地面积0.03万公顷，占该流域湿地面积的 82.87%；人工湿地面积 0.01 万公顷，占该流域湿地面积的 17.13%。

1.1.3　海河区

海河区包含滦河及冀东沿海诸河 1 个二级流域和滦河山区 1 个三级流域，主要分布在朝阳市所辖的凌源市。该流域湿地类包含河流湿地、沼泽湿地及人工湿地 3 个。其中，河流湿地面积 0.13 万公顷，占该流域的 96.61%；沼泽湿地面积 0.002 万公顷，占该流域的 1.74%；人工湿地面积 0.002 万公顷，占该流域的 1.65%。

1.1.4　滨海湿地区

滨海湿地区呈带状分布于丹东、大连、营口、盘锦、锦州、葫芦岛 6 市的沿海，以近海与海岸湿地为主要湿地类，其间大面积的淤泥质滩涂和潮间盐水沼泽被围垦、征占形成水产养殖场与盐田等人工湿地。该流域面积 71.34 万公顷。其中，近海与海岸湿地面积 71.32 万公顷，占滨海湿地面积的 99.98%；人工湿地面积 0.02 万公顷，占滨海湿地面积的 0.02%。

1.2　各湿地区湿地类及面积

全省共划分为 114 个湿地区，其中 20 个是由多块湿地斑块组成，具有一定的水文联系和生态功能的单独区划的湿地区；94 个是以县域为单位区划的零星湿地区，按所在县级行政区域名称命名的湿地区。

近海与海岸湿地分布在 24 个湿地区，面积≥5 万公顷的湿地区依次为：鸭绿江口湿地区，面积 10.74 万公顷，占该类型湿地面积的 15.05%；庄河滨海湿地区，面积 10.69 万公顷，占该类型湿地面积的 14.98%；双台河口湿地区，面积 7.77 万公顷，占该类型湿地面积的 10.90%；凌海湿地区，面积 6.77 万公顷，占该类型湿地面积的 9.50%；大连斑海豹湿地区，面积 6.49 万公顷，占该类型湿地面积的 9.10%。

河流湿地分布在 99 个湿地区，面积≥1.0 万公顷的湿地区依次为：新民市零星湿地区，面积 2.44 万公顷，占该类型湿地面积的 9.70%；辽中县零星湿地区，面积 1.74 万公顷，占该类型湿地面积的 6.93%；台安县零星湿地区，面积 1.36 万公顷，占该类型湿地面积的 5.43%；阜新蒙古族自治县零星湿地区，面积 1.15 万公顷，占该类型湿地面积的 4.57%；海城市零星湿地区，面积 1.08 万公顷，占该类型湿地面积的 4.30%。

湖泊湿地分布在 6 个湿地区，面积最大的为卧龙湖湿地区，面积为 0.15 万公顷，占该类型湿地面积的 52.66%；第二位的为彰武县零星湿地区，面积为 0.13 万公顷，占该类型湿地面积的 44.30%。

沼泽湿地分布在 35 个湿地区，面积最大的为双台河口湿地区，面积为 4.72 万公顷，占该类型湿地面积的 42.86%；第二位的为盘山县零星湿地区，面积为 2.83 万公顷，占该类型湿地面积的 25.66%；第三位的为凌海湿地区，面积为 0.62 万公顷，占该类型湿地面积的 5.67%。

人工湿地分布在 99 个湿地区，面积≥2.0 万公顷的湿地区依次为：瓦房店市零星湿地区，面积 4.50 万公顷，占人工湿地面积的 14.18%；老边区零星湿地区，面积 2.41 万公顷，占人工湿地面积的 7.61%；水丰水库湿地区，面积 2.14 万公顷，占人工湿地面积的 6.76%；双台河口湿地区，面积 2.00 万公顷，占人工湿地面积的 6.32%（表 2-8）。

表 2-8　辽宁省各湿地区湿地类面积统计(公顷)

序号	湿地区名称	湿地类					合　计
		近海与海岸湿地	河流湿地	湖泊湿地	沼泽湿地	人工湿地	
1	大连斑海豹湿地区	64869.70				6723.76	71593.46
2	双台河口湿地区	77718.52	2045.25		47190.39	20027.74	146981.90
3	鸭绿江口湿地区	107362.52	943.64		4110.95	8765.04	121182.15
4	六股河口湿地区	423.52				587.80	1011.32
5	凌海湿地区	67747.70	657.21		6240.55	18436.69	93082.15
6	皮口湿地区	1095.70				3783.95	4879.65
7	庄河滨海湿地区	106857.50				16772.13	123629.63
8	参窝水库湿地区					3234.61	3234.61
9	大伙房水库湿地区					6185.05	6185.05
10	观音阁水库湿地区		295.13			4977.12	5272.25
11	桓仁水库湿地区					7499.80	7499.80
12	碧流河水库湿地区					5154.82	5154.82
13	清河水库湿地区					3007.03	3007.03
14	水丰水库湿地区					21439.16	21439.16
15	汤河水库湿地区					2993.89	2993.89
16	仙子湖湿地区		47.63		1043.36	3342.14	4433.13
17	乌金塘水库湿地区		32.49			975.46	1007.95
18	卧龙湖湿地区		39.80	1533.25	4884.74		6457.79
19	白石水库湿地区		1230.95		644.94	3458.22	5334.11
20	石佛寺水库湿地区					2910.83	2910.83
21	和平区零星湿地区		376.12				376.12
22	沈河区零星湿地区		496.21				496.21
23	大东区零星湿地区		68.52			23.97	92.49
24	皇姑区零星湿地区		64.93			44.07	109
25	铁西区零星湿地区		964.91			215.77	1180.68
26	苏家屯区零星湿地区		1083.16			980.45	2063.61
27	东陵区零星湿地区		1389.33			596.64	1985.97
28	沈北新区零星湿地区		923.56			154.05	1077.61
29	于洪区零星湿地区		320.40			781.18	1101.58
30	新民市零星湿地区		24389.39		865.49	2802.96	28057.84
31	辽中县零星湿地区		17434.14			5123.23	22557.37
32	康平县零星湿地区		1193.77		468.52	3457.22	5119.51

（续）

序号	湿地区名称	湿地类					合　计
		近海与海岸湿地	河流湿地	湖泊湿地	沼泽湿地	人工湿地	
33	法库县零星湿地区		2911.63		610.03	4591.34	8113
34	中山区零星湿地区		30.18				30.18
35	沙河口区零星湿地区		56.75				56.75
36	甘井子区零星湿地区	3265.38	35.39			195.19	3495.96
37	旅顺口区零星湿地区	797.90	52.06			2097.61	2947.57
38	金州区零星湿地区	31039.85	966.80			7832.41	39839.06
39	瓦房店市零星湿地区	23402.74	3584.43			44965.62	71952.79
40	庄河市零星湿地区		3498.48			5491.75	8990.23
41	普兰店市零星湿地区	10802.53	3282.82		304.60	11756.28	26146.23
42	长海县零星湿地区					39.03	39.03
43	千山区零星湿地区		823.06			13.89	836.95
44	海城市零星湿地区		10813.67		1752.04	542.14	13107.85
45	台安县零星湿地区		13647.16			15.48	13662.64
46	岫岩满族自治县零星湿地区		5175.71			195.70	5371.41
47	东洲区零星湿地区		402.89	24.07			426.96
48	望花区零星湿地区		313.08			35.88	348.96
49	顺城区零星湿地区		538.01			62.32	600.33
50	抚顺县零星湿地区		1309.09			522.92	1832.01
51	新宾满族自治县零星湿地区		3289.37			492.50	3781.87
52	清原满族自治县零星湿地区		3231.66			546.64	3778.30
53	平山区零星湿地区		200.49				200.49
54	溪湖区零星湿地区		468.38			74.43	542.81
55	明山区零星湿地区		794.32			16.48	810.80
56	南芬区零星湿地区		361.79			125.55	487.34
57	本溪满族自治县零星湿地区		2655.11			353.82	3008.93
58	桓仁满族自治县零星湿地区		3343.51			2766.61	6110.12
59	元宝区零星湿地区		117.17			36.72	153.89
60	振兴区零星湿地区		2813.86			149.62	2963.48
61	振安区零星湿地区		1465.84				1465.84
62	东港市零星湿地区		3460.37			6596.85	10057.22
63	凤城市零星湿地区		6222		246.09	766.54	7234.63
64	宽甸满族自治县零星湿地区		9495.61			918.91	10414.52

（续）

序号	湿地区名称	湿地类					合　计
		近海与海岸湿地	河流湿地	湖泊湿地	沼泽湿地	人工湿地	
65	凌河区零星湿地区		56. 48				56. 48
66	太和区零星湿地区		1218. 56				1218. 56
67	凌海市零星湿地区		3617. 49		927. 15	737. 74	5282. 38
68	北镇市零星湿地区		3952. 06		981. 95	312. 48	5246. 49
69	黑山县零星湿地区		5592. 98			1068. 44	6661. 42
70	义县零星湿地区		3478. 35			646. 51	4124. 86
71	站前区零星湿地区	87. 59	75. 76			177. 57	340. 92
72	西市区零星湿地区	1845. 51			384. 64	91. 57	2321. 72
73	老边区零星湿地区	46787. 20	255. 54		629. 42	24130. 76	71802. 92
74	鲅鱼圈区零星湿地区	8326. 34	245. 66			313. 37	8885. 37
75	盖州市零星湿地区	8213. 80	5113. 71		316. 86	3152. 76	16797. 13
76	大石桥市零星湿地区	214. 05	1997. 21		938. 17	6322. 85	9472. 28
77	海州区零星湿地区		10. 98				10. 98
78	太平区零星湿地区		127. 62			47. 35	174. 97
79	新邱区零星湿地区		27. 72	22. 04		16. 57	66. 33
80	细河区零星湿地区		10. 81			54. 30	65. 11
81	清河门区零星湿地区		154. 46				154. 46
82	阜新蒙古族自治县零星湿地区		11487. 89		501. 86	2206. 38	14196. 13
83	彰武县零星湿地区		6369. 98	1290. 02		1106. 76	8766. 76
84	白塔区零星湿地区					18. 96	18. 96
85	文圣区零星湿地区		102. 22				102. 22
86	宏伟区零星湿地区		131. 07			178. 94	310. 01
87	弓长岭区零星湿地区		249. 72			113. 70	363. 42
88	太子河区零星湿地区		391. 16			15. 46	406. 62
89	灯塔市零星湿地区		3246. 31			531. 48	3777. 79
90	辽阳县零星湿地区		3650. 17			393. 23	4043. 40
91	银州区零星湿地区		327. 75			25. 21	352. 96
92	清河区零星湿地区		710. 94				710. 94
93	调兵山市零星湿地区		170. 78			32. 02	202. 80
94	开原市零星湿地区		4331. 67			1432. 80	5764. 47

（续）

序号	湿地区名称	湿地类					合 计
		近海与海岸湿地	河流湿地	湖泊湿地	沼泽湿地	人工湿地	
95	铁岭县零星湿地区		3994.44		633.80	3706.24	8334.48
96	昌图县零星湿地区		7594.95			866.86	8461.81
97	西丰县零星湿地区		1448.55			723.80	2172.35
98	双塔区零星湿地区		461.04				461.04
99	龙城区零星湿地区		992.12		241.68	828.91	2062.71
100	北票市零星湿地区		4516.21		57.15	269.59	4842.95
101	凌源市零星湿地区		2902.75		59.53	151.76	3114.04
102	朝阳县零星湿地区		2996.72		111.49	197.41	3305.62
103	建平县零星湿地区		4630.66	8.97	1081.04	385.57	6106.24
104	喀喇沁左翼蒙古族自治县零星湿地区		2115.52		379.74	446.10	2941.36
105	双台子区零星湿地区		674.53		464.69	217.36	1356.58
106	兴隆台区零星湿地区		1416.39	33.49	1589.50	474.69	3514.07
107	盘山县零星湿地区	44110.17	6557.90		28255.08	5800.16	84723.31
108	大洼县零星湿地区	1213.84	1861.76		3366.09	6541.94	12983.63
109	连山区零星湿地区	269.77	911.82		134.42	421.22	1737.23
110	南票区零星湿地区		996.18		8.88	94.43	1099.49
111	龙港区零星湿地区	17050.68	137.33			103.53	17291.54
112	兴城市零星湿地区	49208.47	2313.09		49.75	4209.01	55780.32
113	绥中县零星湿地区	40487.96	5965.05		560.68	2023.26	49036.95
114	建昌县零星湿地区		2497.12		63.52	862.58	3423.22
总 计		713198.94	251446.41	2911.84	110098.79	317108.64	1394764.62

1.3 各行政区湿地类及面积

辽宁省辖 14 个地级市，其中湿地总面积分列前三位的是大连市、盘锦市和丹东市(表 2-9、图 2-15)。

1.3.1 大连市

大连市湿地总面积 35.83 万公顷，占全省湿地总面积的 25.69%。大连市位于欧亚大陆东岸，中国东北辽东半岛最南端，西北濒临渤海，东南面向黄海，海岸线长度约 1900 余公里。沿岸水产养殖场、晒盐场密布，为全国重要水产养殖业、盐业生产加工基地。位于渤海辽东湾的大连斑海豹国家级自然保护区为国际重要湿地。大连独特的地理位置条件形成了以近海与海岸、人工湿地为主，河流湿地、沼泽湿地为辅的丰富的湿地资源环境。其中，近海与海岸湿地面积为24.21万公顷，人工湿地面积为10.43万公顷，是全省各湿地类中面积最大的两个湿地类。大连市河流湿地面积为1.15万公顷，区域内主要河流水系为辽东沿黄渤海诸河。其中，注入黄海的较大河流有碧流河、英那河、庄河、赞子河、大沙河、登沙河、清水河、马栏河等；注入渤海的主要河流有复州河、李官河、三十里堡河等。沼泽湿地在区域内分布较少，仅为0.03万公顷，分布于大连市所辖的普兰店市沿海内陆。

1.3.2　盘锦市

盘锦市湿地面积24.96万公顷，占全省湿地总面积的17.89%。盘锦市位于辽宁省西南部，辽河三角洲中心地带，南临渤海辽东湾，境内的辽宁双台河口国家级自然保护区被列为国际重要湿地。辽河三角洲地处辽河、大辽河入海口交汇处，为全国沼泽湿地主要分布区之一。地处其核心地带的盘锦市更以其芦苇沼泽湿地而闻名于国内外。经本次调查，沼泽湿地面积为8.09万公顷，为全省沼泽湿地分布最大的行政区。盘锦市南临辽东湾，近海与海岸湿地面积达12.30万公顷。沿岸水产养殖业发达，分布有部分盐田，加上分布在芦苇沼泽中的库塘、输水河，使人工湿地面积达到3.31万公顷。盘锦市内主要河流包括大辽河、双台子河、绕阳河等，河流湿地面积为1.26万公顷。区域内湖泊湿地面积分布较少，仅分布于兴隆台区的碱铺和三厂。区域内近海与海岸湿地、沼泽、河流、湖泊、人工湿地通过河口、自然或由人工水系相连接，形成统一的湿地网络。

1.3.3　丹东市

丹东市湿地面积17.49万公顷，占全省湿地总面积的12.55%。丹东市位于辽宁东南部鸭绿江与黄海的汇合处，与朝鲜民主主义人民共和国隔江相望。鸭绿江口湿地国家级自然保护区为国家重要湿地。丹东市湿地资源以近海与海岸湿地类为主，面积10.74万公顷；其次为人工湿地，面积3.87万公顷。鸭绿江水系诸河流构成的河流湿地，面积2.45万公顷。丹东市内陆沼泽湿地随着沿海经济建设的发展，大面积退化，本次调查面积仅为0.44万公顷。

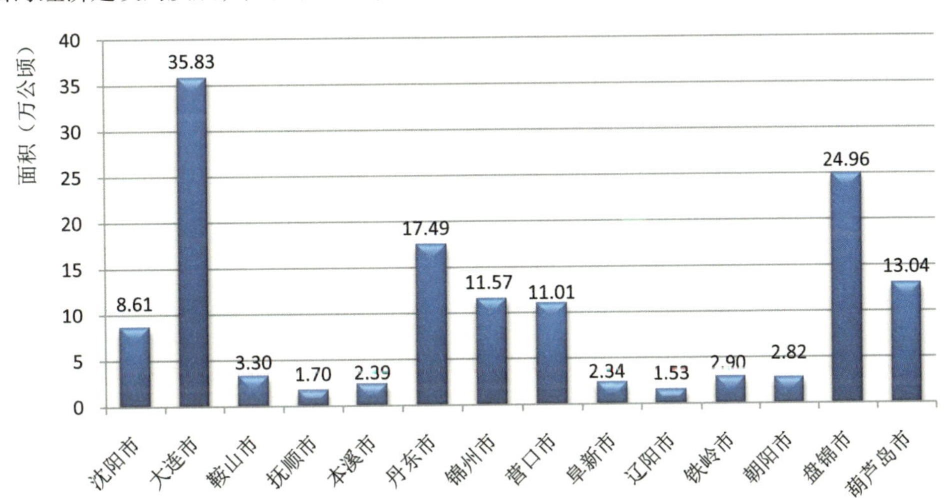

图2-15　辽宁省各行政区湿地面积分布

表 2-9 辽宁省各市级行政区湿地类面积统计(公顷)

序号	行政区	湿地类					合 计
		近海与海岸湿地	河流湿地	湖泊湿地	沼泽湿地	人工湿地	
1	沈阳市		51703. 50	1533. 25	7872. 14	25023. 85	86132. 74
2	大连市	242131. 30	11506. 91		304. 60	104322. 76	358265. 57
3	鞍山市		30459. 60		1752. 04	767. 21	32978. 85
4	抚顺市		9084. 10	24. 07		7845. 31	16953. 48
5	本溪市		8118. 73			15813. 81	23932. 54
6	丹东市	107362. 52	24518. 49		4357. 04	38672. 84	174910. 89
7	锦州市	67747. 70	18573. 13		8149. 65	21201. 86	115672. 34
8	营口市	65474. 49	7687. 88		2269. 09	34678. 67	110110. 13
9	阜新市		18189. 46	1312. 06	501. 86	3431. 36	23434. 74
10	辽阳市		7770. 65			7480. 27	15250. 92
11	铁岭市		18579. 08		633. 80	9793. 96	29006. 84
12	朝阳市		19845. 97	8. 97	2575. 57	5737. 56	28168. 07
13	盘锦市	123042. 53	12555. 83	33. 49	80865. 75	33061. 89	249559. 49
14	葫芦岛市	107440. 40	12853. 08		817. 25	9277. 29	130388. 02
总 计		713198. 94	251446. 41	2911. 84	110098. 79	317108. 64	1394764. 62

1.4 各地貌单元湿地类及面积

辽宁省按地貌分为辽宁东部山地丘陵区、辽宁中部平原区、辽宁西部山地丘陵区。辽宁省湿地资源分布按照地貌单元部分为 3 个大区：辽东山地丘陵区 62. 77 万公顷，占全省湿地面积的 45. 00%；辽宁中部平原区分布 46. 94 万公顷，占全省湿地面积的 33. 65%；辽宁西部山地丘陵区分布 29. 77 万公顷，占全省湿地面积的 21. 35%(表 2-10、图 2-16)。

表 2-10 辽宁省各地貌单元湿地类面积统计(公顷)

地貌单元	湿地类					合 计
	近海与海岸湿地	河流湿地	湖泊湿地	沼泽湿地	人工湿地	
东部山地丘陵区	357707. 62	78230. 89	24. 07	5612. 30	186123. 48	627698. 36
中部平原区	180303. 22	103753. 88	1566. 74	92442. 16	91337. 09	469403. 09
西部山地丘陵区	175188. 10	69461. 64	1321. 03	12044. 33	39648. 07	297663. 17
总 计	713198. 94	251446. 41	2911. 84	110098. 79	317108. 64	1394764. 62

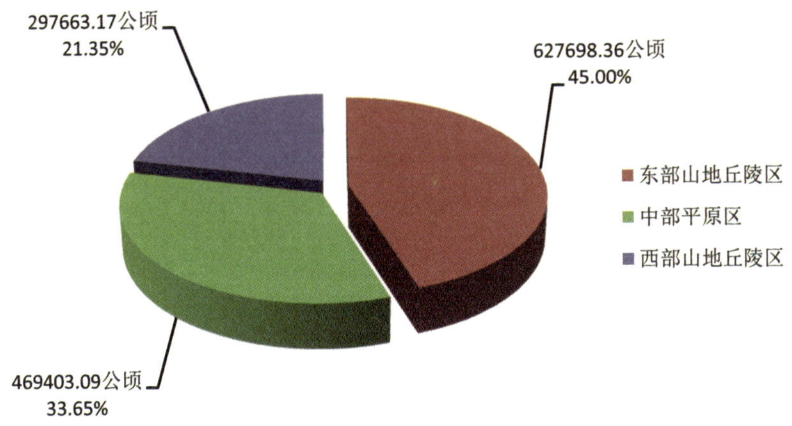

图 **2-16** 辽宁省各地貌单元湿地面积比例构成

2 各类湿地分布规律

2.1 近海与海岸湿地

辽宁省海岸线东起鸭绿江口，西至山海关老龙头，全长2920余公里。近海与海岸湿地沿海岸线成带状分布在滨海湿地区，涉及全省丹东市、大连市、营口市、盘锦市、锦州市和葫芦岛市等6个市的24个湿地区，湿地面积71.32万公顷，占辽宁省湿地总面积的51.13%。浅海水域位于低潮线至水深6米等深线以内，在各湿地区均有分布，面积59.89万公顷，占近海与海岸湿地面积的83.97%，为近海与海岸湿地中面积最大的湿地型。依据湿地底部基质不同，沿海岸分布有岩石海岸、沙石海滩和淤泥质海滩。其中，岩石海岸主要分布在旅顺口沿线；沙石海滩主要分布在葫芦岛市所辖的连山、龙港、绥中、六股河口等湿地区，兴城湿地区有部分分布；淤泥质海滩为辽宁省主要海岸滩地类型，在沿线6个市所辖的湿地区均有不同程度的分布。因其地势平坦、土质肥沃、不易渗漏等特点，常被开发为水产养殖场及盐田。滩地间分布有潮间盐水沼泽带，包括盐碱沼泽、盐水草地和海滩盐沼等。由于受人为等诸多因素影响，潮间盐水沼泽分布范围及面积较小，现仅在双台河口、营口西市等湿地区有少量分布。河口水域分布于入海河流河口，分布范围较为广泛。其中，最大的河口水域位于双台河口，面积1.40万公顷，占全省河口水域湿地面积的61.71%。三角洲、沙洲是在河口周边因冲积而形成的泥滩或沙滩，全省主要分布在双台河口及盘山县湿地区。

2.1.1 各湿地区的近海与海岸湿地型及面积

根据本次调查，各湿地型在湿地区分布的数量情况为浅海水域分布在全省18个湿地区；岩石海岸分布在全省1个湿地区；沙石海滩分布在全省5个湿地区；淤泥质海滩分布在全省8个湿地区；潮间盐水沼泽分布在全省2个湿地区；河口水域分布在全省17个湿地区；三角洲/沙洲/沙岛分布在全省2个湿地区(表2-11)。

表 2-11 辽宁省各湿地区近海与海岸湿地型分布面积统计(公顷)

序号	湿地区名称	湿地型							合 计
		浅海水域	岩石海岸	沙石海滩	淤泥质海滩	潮间盐水沼泽	河口水域	三角洲/沙洲/沙岛	
1	大连斑海豹湿地区	64869.70							64869.70
2	双台河口湿地区	33945.45			13345.56	5203.61	13975.20	11248.70	77718.52
3	鸭绿江口湿地区	81160.62			26201.90				107362.52
4	六股河口湿地区			252.85			170.67		423.52
5	凌海湿地区	54842.48			12041.89		863.33		67747.70
6	皮口湿地区				867.91		227.79		1095.70
7	庄河滨海湿地区	98342.77			6862.75		1651.98		106857.50
8	甘井子区零星湿地区	3265.38							3265.38
9	旅顺口区零星湿地区	574.37	223.53						797.90
10	金州区零星湿地区	31039.85							31039.85
11	瓦房店市零星湿地区	21317.99					2084.75		23402.74
12	普兰店市零星湿地区	9260.50			1377.41		164.62		10802.53
13	站前区零星湿地区						87.59		87.59
14	西市区零星湿地区	1393.17				105.57	346.77		1845.51
15	老边区零星湿地区	45853.94			788.46		144.80		46787.20
16	鲅鱼圈区零星湿地区	8229.62					96.72		8326.34
17	盖州市零星湿地区	8145.36					68.44		8213.8
18	大石桥市零星湿地区						214.05		214.05
19	大洼县零星湿地区						1213.84		1213.84
20	盘山县零星湿地区	36543.07					1051.27	6515.83	44110.17
21	连山区零星湿地区			269.77					269.77
22	龙港区零星湿地区	16625.77		424.91					17050.68
23	兴城市零星湿地区	43884.16		3506.89	1720.83		96.59		49208.47
24	绥中县零星湿地区	39629.11		670.88			187.97		40487.96
	总 计	598923.31	223.53	5125.30	63206.71	5309.18	22646.38	17764.53	713198.94

2.1.2 各行政区的近海与海岸湿地型及面积

根据本次调查，浅海水域分布在全省 6 个市，其中大连市面积为 22.87 万公顷，占浅海水域面积的 38.18%。岩石海岸仅分布在大连市，面积为 0.02 万公顷。沙石海滩仅分布在葫芦岛市，面积为 0.51 万公顷。淤泥质海滩分布在全省 6 个市，其中丹东市面积为 2.62 万公顷，占淤泥质海滩面积的 41.45%。潮间盐水沼泽分布在全省 2 个市，其中盘锦市面积为 0.52 万公顷，占潮间盐水沼泽的 98.01%。河口水域分布在全省 5 个市，其中盘锦市面积为 1.62 万公顷，占河口水域面积的 71.71%。三角洲/沙洲/沙岛仅分布在盘锦市，面积为 1.78 万公顷(表 2-12)。

表 2-12　辽宁省各市级行政区近海与海岸湿地型分布面积统计(公顷)

序号	湿地区名称	湿地型							合　计
		浅海水域	岩石海岸	沙石海滩	淤泥质海滩	潮间盐水沼泽	河口水域	三角洲/沙洲/沙岛	
1	大连市	228670.56	223.53		9108.07		4129.14		242131.30
2	丹东市	81160.62			26201.90				107362.52
3	锦州市	54842.48			12041.89		863.33		67747.70
4	营口市	63622.09			788.46	105.57	958.37		65474.49
5	盘锦市	70488.52			13345.56	5203.61	16240.31	17764.53	123042.53
6	葫芦岛市	100139.04		5125.30	1720.83		455.23		107440.40
总　计		598923.31	223.53	5125.30	63206.71	5309.18	22646.38	17764.53	713198.94

2.2　河流湿地

辽宁省境内有大小河流 441 条，河流总长度 19745 公里，分布于全省 14 个市，河流湿地面积 25.15 万公顷，占湿地总面积的 18.03%。河流湿地类型主要来源于全省三大流域区，分别为辽河区、松花江区和海河区。辽河区为河流湿地分布最大的流域区，河流湿地面积 24.98 万公顷，占河流湿地总面积的 99.36%。包括西辽河，东辽河，辽河干流，浑太河，鸭绿江，东北沿黄、渤海诸河等 6 个二级流域区及西拉木伦河及老哈河，东辽河，柳河口以上，柳河口以下，浑河，太子河及大辽河干流，浑江口以上，浑江口以下，沿渤海西部诸河，辽东沿黄、渤海诸河等 10 个三级流域。河流湿地从辽东山地丘陵区、中部平原区至辽西山地丘陵区均有分布，其中以中部平原区分布面积最大，面积 10.37 万公顷，占河流湿地面积的 41.23%。松花江区包括第二松花江 1 个二级流域和丰满以上 1 个三级流域，位于清原县零星湿地区东部，西流入松花江上游，河流湿地面积 0.03 万公顷，占河流湿地面积的 0.12%。海河区包括滦河及冀东沿海诸河 1 个二级流域和滦河山区 1 个三级流域，位于辽宁省建昌县和凌源市零星湿地区，为青龙河上游河段，河流湿地面积 0.13 万公顷，占河流湿地面积的 0.52%。

2.2.1　各流域的河流湿地型及面积

(1)一级流域：在一级流域内，辽河区河流湿地所包含的 3 个湿地型均有分布。其中，永久性河流面积 15.03 万公顷，占辽河区河流湿地面积的 60.17%；季节性河流面积 2.86 万公顷，占辽河区河流湿地面积的 11.44%；洪泛平原面积 7.09 万公顷，占辽河区河流湿地面积的 28.39%。松花江区全部为永久性河流湿地，面积为 0.03 万公顷。海河区全部为永久性河流湿地，面积为 0.13 万公顷。

(2)二级流域：在二级流域内，辽河区共包括 6 个二级流域，永久性河流湿地在 6 个二级流域内均有分布。其中，西辽河流域分布面积 0.22 万公顷，占辽河区永久性河流湿地面积的 1.52%；东辽河流域分布面积 0.05 万公顷，占辽河区永久性河流湿地面积的 0.37%；辽河干流流域分布面积 3.77 万公顷，占辽河区永久性河流湿地面积的 25.06%；浑河、太子河流域分布面积 3.34 万公顷，占辽河区永久性河流湿地面积的 22.20%；鸭绿江流域分布面积 2.30 万公顷、占辽河区永久性河流湿地面积的15.33%；东北沿黄、渤海诸河流域分布面积5.34万公顷，占辽河区永久性河流湿地面积的35.52%。

季节性河流湿地分布在3个二级流域。其中辽河干流流域分布面积1.55万公顷，占辽河区季节性河流湿地面积的54.20%；浑河、太子河流域分布面积0.10万公顷，占辽河区季节性河流湿地面积的3.50%；东北沿黄、渤海诸河流域分布面积1.21万公顷，占辽河区季节性河流湿地面积的42.30%。

洪泛平原湿地分布在4个二级流域。其中西辽河流域分布面积0.01万公顷，占辽河区洪泛平原湿地面积的0.14%；辽河干流流域分布面积5.16万公顷，占辽河区洪泛平原湿地面积的72.78%；浑河、太子河流域分布面积1.21万公顷，占辽河区洪泛平原湿地面积的17.07%；东北沿黄、渤海诸河流域分布面积0.71万公顷，占辽河区洪泛平原湿地面积的10.01%。

松花江区包含第二松花江1个二级流域，为永久性河流湿地，面积为0.03万公顷。

海河区包含滦河及冀东沿海1个二级流域，为永久性河流湿地，面积为0.13万公顷。

(3)三级流域：在三级流域内，辽河区共包括10个三级流域。永久性河流湿地在10个三级流域中均有分布；季节性河流湿地分布在6个三级流域；洪泛平原分布在7个三级流域。松花江区包含1个三级流域，为永久性河流湿地。海河区包含1个三级流域，为永久性河流湿地(表2-13)。

表2-13　辽宁省各流域河流湿地型面积统计(公顷)

一级流域	二级流域	三级流域	湿地型			合　计
			永久性河流	季节性河流	洪泛平原	
辽河区	西辽河	西拉木伦河及老哈河	2288.77		139.17	2427.94
	东辽河	东辽河	556.75			556.75
	辽河干流	柳河口以上	27554.48	5556.67	14492.59	47603.74
		柳河口以下	10110.56	9925.01	37084.03	57119.60
	浑河、太子河	浑河	14592.45	66.64	7227.20	21886.29
		太子河及大辽河干流	18783.75	956.06	4831.36	24571.17
	鸭绿江	浑江口以上	8035.71			8035.71
		浑江口以下	14996.35			14996.35
	东北沿黄、渤海诸河	沿渤海西部诸河	28492.47	8256.51	6481.63	43230.61
		辽东沿黄、渤海诸河	24873.21	3816.28	647.96	29337.45
		小计	150284.50	28577.17	70903.94	249765.61
松花江区	第二松花江	丰满以上	344.75			344.75
海河区	滦河及冀东沿海诸河	滦河山区	1336.05			1336.05
总　计			151965.30	28577.17	70903.94	251446.41

2.2.2　各湿地区的河流湿地型及面积

根据本次调查，永久性河流分布在全省93个湿地区，其中分布面积最大的湿地区为宽甸满族自治县湿地区，面积为0.95万公顷，占永久性河流面积的6.25%；季节性河流分布在全省36个湿地区，其中分布面积最大的湿地区为阜新满族自治县湿地区，面积为1.09万公顷，占季节性河流的38.03%；洪泛平原分布在全省28个湿地区，其中分布面积最大的湿地区为新民市湿地区，面积为1.77万公顷，占洪泛平原面积的24.93%(表2-14)。

表2-14　辽宁省各湿地区河流湿地型面积统计(公顷)

序号	湿地区名称	湿地型			合　计
		永久性河流	季节性河流	洪泛平原	
1	双台河口湿地区	866.71	1178.54		2045.25
2	鸭绿江口湿地区	943.64			943.64
3	凌海湿地区	597.21	60		657.21
4	观音阁水库湿地区	295.13			295.13
5	仙子湖湿地区	47.63			47.63
6	乌金塘水库湿地区	12.43		20.06	32.49
7	卧龙湖湿地区	39.80			39.80
8	白石水库湿地区			1230.95	1230.95
9	和平区零星湿地区	376.12			376.12
10	沈河区零星湿地区	496.21			496.21
11	大东区零星湿地区	68.52			68.52
12	皇姑区零星湿地区	64.93			64.93
13	铁西区零星湿地区	964.91			964.91
14	苏家屯区零星湿地区	1083.16			1083.16
15	东陵区零星湿地区	1389.33			1389.33
16	沈北新区零星湿地区	923.56			923.56
17	于洪区零星湿地区	320.40			320.40
18	新民市零星湿地区	6702.54	9.11	17677.74	24389.39
19	辽中县零星湿地区	2860.02		14574.12	17434.14
20	康平县零星湿地区	1193.77			1193.77
21	法库县零星湿地区	1746.07		1165.56	2911.63
22	中山区零星湿地区	30.18			30.18
23	沙河口区零星湿地区	56.75			56.75
24	甘井子区零星湿地区	35.39			35.39
25	旅顺口区零星湿地区	52.06			52.06
26	金州区零星湿地区	966.80			966.80
27	瓦房店市零星湿地区	3531.45	52.98		3584.43

（续）

序号	湿地区名称	湿地型			合 计
		永久性河流	季节性河流	洪泛平原	
28	庄河市零星湿地区	3432.12	66.36		3498.48
29	普兰店市零星湿地区	3282.82			3282.82
30	千山区零星湿地区	492.22	330.84		823.06
31	海城市零星湿地区	3331.93	664.39	6817.35	10813.67
32	台安县零星湿地区	2892.12	66.64	10688.40	13647.16
33	岫岩满族自治县零星湿地区	3594.38	933.37	647.96	5175.71
34	东洲区零星湿地区	402.89			402.89
35	望花区零星湿地区	313.08			313.08
36	顺城区零星湿地区	538.01			538.01
37	抚顺县零星湿地区	1309.09			1309.09
38	新宾满族自治县零星湿地区	3289.37			3289.37
39	清原满族自治县零星湿地区	3231.66			3231.66
40	平山区零星湿地区	200.49			200.49
41	溪湖区零星湿地区	468.38			468.38
42	明山区零星湿地区	794.32			794.32
43	南芬区零星湿地区	361.79			361.79
44	本溪满族自治县零星湿地区	2655.11			2655.11
45	桓仁满族自治县零星湿地区	3343.51			3343.51
46	元宝区零星湿地区	117.17			117.17
47	振兴区零星湿地区	2813.86			2813.86
48	振安区零星湿地区	1465.84			1465.84
49	东港市零星湿地区	3460.37			3460.37
50	凤城市零星湿地区	6222			6222
51	宽甸满族自治县零星湿地区	9495.61			9495.61
52	凌河区零星湿地区	56.48			56.48
53	太和区零星湿地区	791.75	64.18	362.63	1218.56
54	凌海市零星湿地区	1570.26	810.34	1236.89	3617.49
55	北镇市零星湿地区	468.58	1497	1986.48	3952.06
56	黑山县零星湿地区	1705.77	737.07	3150.14	5592.98
57	义县零星湿地区	1964.67	1513.68		3478.35
58	站前区零星湿地区	75.76			75.76

（续）

序号	湿地区名称	湿地型			合　计
		永久性河流	季节性河流	洪泛平原	
59	老边区零星湿地区	255.54			255.54
60	鲅鱼圈区零星湿地区	187.68	57.98		245.66
61	盖州市零星湿地区	3296.74	1816.97		5113.71
62	大石桥市零星湿地区	1164.45	832.76		1997.21
63	海州区零星湿地区		10.98		10.98
64	太平区零星湿地区		127.62		127.62
65	新邱区零星湿地区		27.72		27.72
66	细河区零星湿地区		10.81		10.81
67	清河门区零星湿地区		154.46		154.46
68	阜新蒙古族自治县零星湿地区	619.57	10868.32		11487.89
69	彰武县零星湿地区	363.11	6006.87		6369.98
70	文圣区零星湿地区	102.22			102.22
71	宏伟区零星湿地区	131.07			131.07
72	弓长岭区零星湿地区	233.03	16.69		249.72
73	太子河区零星湿地区	391.16			391.16
74	灯塔市零星湿地区	1814.26		1432.05	3246.31
75	辽阳县零星湿地区	3527.36		122.81	3650.17
76	银州区零星湿地区	233.05	94.70		327.75
77	清河区零星湿地区	710.94			710.94
78	调兵山市零星湿地区	170.78			170.78
79	开原市零星湿地区	4331.67			4331.67
80	铁岭县零星湿地区	3815.23	44.62	134.59	3994.44
81	昌图县零星湿地区	7594.95			7594.95
82	西丰县零星湿地区	1448.55			1448.55
83	双塔区零星湿地区	416.09		44.95	461.04
84	龙城区零星湿地区	605.86		386.26	992.12
85	北票市零星湿地区	4099.63	82.68	333.90	4516.21
86	凌源市零星湿地区	2902.75			2902.75
87	朝阳县零星湿地区	2458.84	94	443.88	2996.72
88	建平县零星湿地区	4229.57		401.09	4630.66

（续）

序号	湿地区名称	湿地型			合　计
		永久性河流	季节性河流	洪泛平原	
89	喀喇沁左翼蒙古族自治县零星湿地区	2058. 07		57. 45	2115. 52
90	双台子区零星湿地区	182. 82	28. 61	463. 10	674. 53
91	兴隆台区零星湿地区	493. 19	72. 92	850. 28	1416. 39
92	盘山县零星湿地区	1948. 85	36. 49	4572. 56	6557. 90
93	大洼县零星湿地区	1861. 76			1861. 76
94	连山区零星湿地区	779. 94	50. 86	81. 02	911. 82
95	南票区零星湿地区	720. 15		276. 03	996. 18
96	龙港区零星湿地区	137. 33			137. 33
97	兴城市零星湿地区	1971. 54	49. 02	292. 53	2313. 09
98	绥中县零星湿地区	4430. 88	81. 01	1453. 16	5965. 05
99	建昌县零星湿地区	2470. 54	26. 58		2497. 12
总　计		151965. 30	28577. 17	70903. 94	251446. 41

2. 2. 3 各行政区的河流湿地型及面积

根据本次调查，永久性河流分布在全省 14 个市，其中分布面积最大的市为丹东市，面积为 2. 45 万公顷，占永久性河流面积的 16. 13%。季节性河流分布在全省 12 个市，其中分布面积最大的市为阜新市，面积为 1. 72 万公顷，占季节性河流面积的 60. 21%。洪泛平原分布在全省 8 个市，其中分布面积最大的市为沈阳市，面积为 3. 34 万公顷，占洪泛平原面积的 47. 13%（表 2-15）。

表 2-15 辽宁省各市级行政区河流湿地型面积统计（公顷）

序号	行政区名称	湿地型			合　计
		永久性河流	季节性河流	洪泛平原	
1	沈阳市	18276. 97	9. 11	33417. 42	51703. 50
2	大连市	11387. 57	119. 34		11506. 91
3	鞍山市	10310. 65	1995. 24	18153. 71	30459. 60
4	抚顺市	9084. 10			9084. 10
5	本溪市	8118. 73			8118. 73
6	丹东市	24518. 49			24518. 49
7	锦州市	7154. 72	4682. 27	6736. 14	18573. 13
8	营口市	4980. 17	2707. 71		7687. 88
9	阜新市	982. 68	17206. 78		18189. 46
10	辽阳市	6199. 10	16. 69	1554. 86	7770. 65

（续）

序号	行政区名称	湿地型			合　计
		永久性河流	季节性河流	洪泛平原	
11	铁岭市	18305.17	139.32	134.59	18579.08
12	朝阳市	16770.81	176.68	2898.48	19845.97
13	盘锦市	5353.33	1316.56	5885.94	12555.83
14	葫芦岛市	10522.81	207.47	2122.80	12853.08
总　计		151965.30	28577.17	70903.94	251446.41

2.2.4　各地貌单元的河流湿地型及面积

辽宁省河流湿地资源分布按照地貌单元的分布为：辽东山地丘陵区 7.82 万公顷，占全省河流湿地面积的 31.11%；辽宁中部平原区 10.38 万公顷，占全省河流湿地面积的 41.27%；辽宁西部山地丘陵区 6.94 万公顷，占全省河流湿地面积的 27.62%（表 2-16、图 2-17）。

表 2-16　辽宁省各地貌单元河流湿地型面积统计（公顷）

地貌单元	湿地型			合　计
	永久性河流	季节性河流	洪泛平原	
东部山地丘陵区	74299.84	3025.69	905.36	78230.89
中部平原区	42234.44	3278.28	58241.16	103753.88
西部山地丘陵区	35431.02	22273.20	11757.42	69461.64
总　计	151965.30	28577.17	70903.94	251446.41

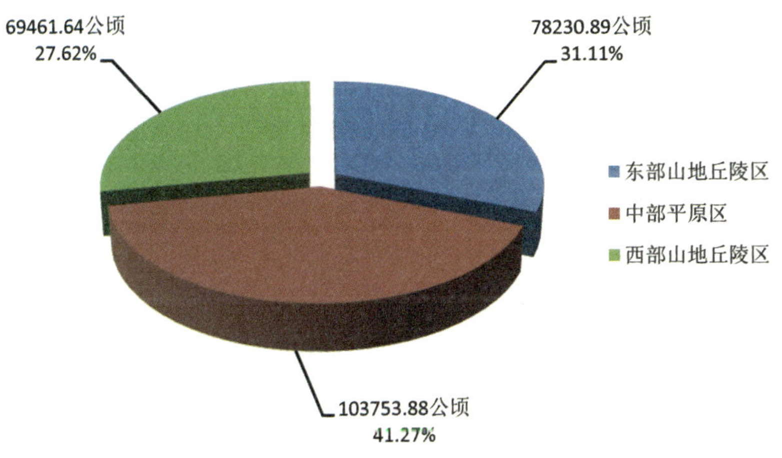

图 **2-17**　辽宁省各地貌单元河流湿地面积比例构成

2.3　湖泊湿地

湖泊湿地在辽宁分布较少，面积仅为 0.29 万公顷，占湿地资源总面积的 0.21%。其中，沈阳卧龙湖湿地为全省最大的内陆永久性淡水湖泊湿地，面积 0.15 万公顷，占湖泊湿地面积的 51.72%。其次为彰武县阿尔乡自然保护小区湖泊湿地，面积 0.06 万公顷，占湖泊湿地面积的 20.69%。其他为零星分布，分别分布在抚顺市东洲区零星湿地区，阜新市新邱区零星湿地区，彰武县零星湿地区，盘锦市兴隆台区零星湿地区和朝阳市建平县零星湿地区，面积 0.08 万公顷，占湖泊湿地面积的 27.59%。

2.3.1　各流域的湖泊湿地型及面积

按流域分布统计，湖泊湿地全部分布于辽河区，永久性淡水湖分布在辽河区 2 个二级流域内。其中，辽河干流面积 0.27 万公顷，占永久性淡水湖的 99.10%；浑河、太子河面积 0.002 万公顷，占永久性淡水湖的 0.90%。季节性淡水湖分布在辽河区 3 个二级流域内。其中辽河干流面积 0.02 万公顷，占季节性淡水湖的 90.39%；浑河、太子河面积 0.001 万公顷，占季节性淡水湖的 5.68%；东北沿黄、渤海诸河 0.0008 万公顷，占季节性淡水湖的 3.93%。在辽河区三级流域内，永久性淡水湖分布在辽河区 3 个三级流域内，包括柳河口以上、柳河口以下、浑河流域；季节性淡水湖分布在辽河区 4 个三级流域内，包括柳河口以上、柳河口以下、太子河及大辽河干流及沿渤海西部诸河流域（表 2-17）。

表 2-17　辽宁省各流域湖泊湿地型面积统计（公顷）

一级流域	二级流域	三级流域	湿地型		合　计
			永久性淡水湖	季节性淡水湖	
辽河区	辽河干流	柳河口以上	2505.63	171.89	2677.52
		柳河口以下	153.81	34.50	188.31
	浑河、太子河	浑河	24.07		24.07
		太子河及大辽河干流		12.97	12.97
	东北沿黄、渤海诸河	沿渤海西部诸河		8.97	8.97
		小　计	2683.51	228.33	2911.84
总　计			2683.51	228.33	2911.84

2.3.2　各湿地区的湖泊湿地型及面积

在全省 114 个湿地区中，湖泊湿地分布在 6 个湿地区，分布范围较小。其中永久性淡水湖分布在 4 个湿地区，沈阳卧龙湖湿地区永久性淡水湖面积 0.15 万公顷、占永久性淡水湖面积的 57.14%，是全省最大的永久性淡水湖。季节性淡水湖分布在全省 3 个湿地区，其中最大的季节性淡水湖为彰武湿地区的北洞子，面积 0.02 万公顷，占季节性淡水湖的 81.40%（表 2-18）。

表 2-18　辽宁省各湿地区湖泊湿地型面积统计（公顷）

序号	湿地区名称	湿地型		合　计
		永久性淡水湖	季节性淡水湖	
1	卧龙湖湿地区	1533.25		1533.25
2	东洲区零星湿地区	24.07		24.07

（续）

序号	湿地区名称	湿地型		合　计
		永久性淡水湖	季节性淡水湖	
3	新邱区零星湿地区	22.04		22.04
4	彰武县零星湿地区	1104.15	185.87	1290.02
5	建平县零星湿地区		8.97	8.97
6	兴隆台区零星湿地区		33.49	33.49
总　计		2683.51	228.33	2911.84

2.3.3　各行政区的湖泊湿地型及面积

辽宁省湖泊湿地分布在沈阳市、抚顺市、盘锦市、阜新市、朝阳市5个市。其中，永久性淡水湖分布在沈阳、抚顺、阜新3个市，面积最大的为沈阳市，面积为0.15万公顷，占永久性淡水湖面积的57.14%；季节性淡水湖分布在阜新、朝阳、盘锦3个市，面积最大的为阜新市，面积为0.02万公顷，占季节性淡水湖面积的81.40%（表2-19）。

表2-19　辽宁省各市级行政区湖泊湿地型面积统计（公顷）

序号	行政区名称	湿地型		合　计
		永久性淡水湖	季节性淡水湖	
1	沈阳市	1533.25		1533.25
2	抚顺市	24.07		24.07
3	阜新市	1126.19	185.87	1312.06
4	朝阳市		8.97	8.97
5	盘锦市		33.49	33.49
总　计		2683.51	228.33	2911.84

2.3.4　各地貌单元的湖泊湿地型及面积

辽宁省湖泊湿地资源分布按照地貌单元统计，辽东山地丘陵区分布0.002万公顷，占全省湖泊湿地面积的0.83%；辽宁中部平原区分布0.16万公顷，占全省湖泊湿地面积的53.80%；辽宁西部山地丘陵区分布0.13万公顷，占全省湖泊湿地面积的45.37%（表2-20、图2-18）。

表2-20　辽宁省各地貌单元湖泊湿地型面积统计（公顷）

地貌单元	湿地型		合　计
	永久性淡水湖	季节性淡水湖	
东部山地丘陵区	24.07		24.07
中部平原区	1533.25	33.49	1566.74
西部山地丘陵区	1126.19	194.84	1321.03
总　计	2683.51	228.33	2911.84

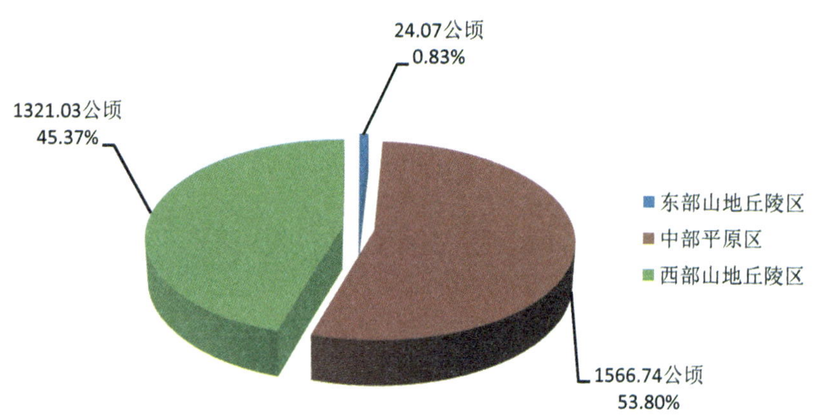

图 2-18　辽宁省各地貌单元湖泊湿地面积比例构成

2.4　沼泽湿地

辽宁省沼泽湿地面积 11.01 万公顷，占湿地资源总面积的 7.89%。沼泽湿地划分为 3 个湿地型，分别为草本沼泽、灌丛沼泽和沼泽化草甸。辽宁省的沼泽湿地以草本沼泽为主，面积 10.78 万公顷，占沼泽湿地的 97.91%，从大辽河口至大凌河口海岸线以北地段为主要分布区，其中的双台河口湿地区为全省最大的草本沼泽分布区，面积 4.72 万公顷，占草本沼泽面积的 43.78%。沼泽化草甸为典型草甸向沼泽植被的过渡类型，在辽宁省主要分布在水库周边地势低洼、排水不畅、土壤过分潮湿、通透性不良的地带，面积为 0.23 万公顷。灌丛沼泽在辽宁分布较少，面积仅为 0.004 万公顷，零星分布。

2.4.1　各流域的沼泽湿地型及面积

沼泽湿地各湿地型分布于辽河区及海河区。草本沼泽涉及西辽河，辽河干流，浑河、太子河，鸭绿江，东北沿黄、渤海诸河，滦河及冀东沿海诸河 6 个二级流域。其中，西辽河分布 0.08 万公顷，占草本沼泽面积的 0.65%；辽河干流分布 8.42 万公顷，占草本沼泽面积的 78.10%；浑河、太子河分布 0.82 万公顷，占草本沼泽面积的 7.60%；鸭绿江分布 0.02 万公顷，占草本沼泽面积的 0.18%；东北沿黄、渤海诸河分布 1.44 万公顷，占草本沼泽面积的 13.36%；滦河及冀东沿海诸河分布 0.002 万公顷，占草本沼泽面积的 0.02%。

沼泽化草甸分布在辽河区 2 个二级流域内，包括辽河干流与东北沿黄、渤海诸河流域。其中，辽河干流分布 0.22 万公顷，占沼泽化草甸面积的 97.21%；东北沿黄、渤海诸河分布 0.006 万公顷，占沼泽化草甸面积的 2.79%。

灌丛沼泽分布在东北沿黄、渤海诸河 1 个二级流域内，面积为 0.004 万公顷。

在三级流域内，草本沼泽分布在辽河区 9 个三级流域内；沼泽化草甸分布在辽河区 3 个三级流域内；灌丛沼泽分布在辽河区 1 个三级流域内(表 2-21)。

2.4.2　各湿地区的沼泽湿地型及面积

在全省 114 个湿地区中，沼泽湿地分布在 35 个湿地区。其中，草本沼泽分布在 34 个湿地区。其中，占前三位的湿地区为双台河口湿地区，面积 4.72 万公顷，占草本沼泽面积的 43.78%；盘

表 2-21　辽宁省各流域沼泽湿地型面积统计(公顷)

一级流域	二级流域	三级流域	湿地型			
			草本沼泽	灌丛沼泽	沼泽化草甸	合　计
辽河区	西辽河	西拉木伦河及老哈河	706.92			706.92
	辽河干流	柳河口以上	4397.54		2199.55	6597.09
		柳河口以下	79814.78			79814.78
	浑河、太子河	浑河	1043.36			1043.36
		太子河及大辽河干流	7193.85			7193.85
	鸭绿江	浑江口以下	246.09			246.09
	东北沿黄、渤海诸河	沿渤海西部诸河	9069.70	39.65	15.82	9125.17
		沿黄、渤海诸河	5300.10		47.40	5347.50
		小　计	107772.34	39.65	2262.77	110074.76
海河区	滦河及冀东沿海诸河	滦河山区	24.03			24.03
总　计			107796.37	39.65	2262.77	110098.79

山县零星湿地区面积2.83万公顷，占草本沼泽面积的26.21%；凌海湿地区面积0.62万公顷，占草本沼泽面积的5.79%。沼泽化草甸分布在全省5个湿地区，分布面积最大的为沈阳卧龙湖湿地区，面积0.12万公顷，占沼泽化草甸面积的50.88%(表2-22)。

表 2-22　辽宁省各湿地区沼泽湿地型面积统计(公顷)

序号	湿地区名称	湿地型			合　计
		草本沼泽	灌丛沼泽	沼泽化草甸	
1	双台河口湿地区	47190.39			47190.39
2	鸭绿江口湿地区	4110.95			4110.95
3	凌海湿地区	6240.55			6240.55
4	仙子湖湿地区	1043.36			1043.36
5	卧龙湖湿地区	3733.53		1151.21	4884.74
6	白石水库湿地区	644.94			644.94
7	新民市零星湿地区	865.49			865.49
8	康平县零星湿地区	468.52			468.52
9	法库县零星湿地区	195.49		414.54	610.03

（续）

序号	湿地区名称	湿地型			合 计
		草本沼泽	灌丛沼泽	沼泽化草甸	
10	普兰店市零星湿地区	304.60			304.60
11	海城市零星湿地区	1752.04			1752.04
12	凤城市零星湿地区	246.09			246.09
13	凌海市零星湿地区	927.15			927.15
14	北镇市零星湿地区	981.95			981.95
15	西市区零星湿地区	384.64			384.64
16	老边区零星湿地区	629.42			629.42
17	盖州市零星湿地区	316.86			316.86
18	大石桥市零星湿地区	890.77		47.40	938.17
19	阜新蒙古族自治县零星湿地区	501.86			501.86
20	铁岭县零星湿地区			633.80	633.80
21	龙城区零星湿地区	241.68			241.68
22	北票市零星湿地区	17.50	39.65		57.15
23	凌源市零星湿地区	59.53			59.53
24	朝阳县零星湿地区	111.49			111.49
25	建平县零星湿地区	1081.04			1081.04
26	喀喇沁左翼蒙古族自治县零星湿地区	379.74			379.74
27	双台子区零星湿地区	464.69			464.69
28	兴隆台区零星湿地区	1589.50			1589.50
29	盘山县零星湿地区	28255.08			28255.08
30	大洼县零星湿地区	3366.09			3366.09
31	连山区零星湿地区	134.42			134.42
32	南票区零星湿地区	8.88			8.88
33	兴城市零星湿地区	33.93		15.82	49.75
34	绥中县零星湿地区	560.68			560.68
35	建昌县零星湿地区	63.52			63.52
总 计		107796.37	39.65	2262.77	110098.79

2.4.3 各行政区的沼泽湿地型及面积

在全省 14 个市级行政区中，草本沼泽分布在 10 个市，其中分布面积最大的为盘锦市，面积 8.09 万公顷，占草本沼泽面积的 74.93%；沼泽化草甸分布在全省 4 个市，其中分布面积最大的为沈阳市，面积0.16万公顷，占沼泽化草甸面积的69.20%；灌丛沼泽全部分布在朝阳市，面积39.65公顷(表2-23)。

表2-23 辽宁省各市级行政区沼泽湿地型面积统计(公顷)

序号	行政区名称	湿地型			合 计
		草本沼泽	灌丛沼泽	沼泽化草甸	
1	沈阳市	6306.39		1565.75	7872.14
2	大连市	304.6			304.6
3	鞍山市	1752.04			1752.04
4	丹东市	4357.04			4357.04
5	锦州市	8149.65			8149.65
6	营口市	2221.69		47.4	2269.09
7	阜新市	501.86			501.86
8	铁岭市			633.8	633.8
9	朝阳市	2535.92	39.65		2575.57
10	盘锦市	80865.75			80865.75
11	葫芦岛市	801.43		15.82	817.25
总 计		107796.37	39.65	2262.77	110098.79

2.4.4 各地貌单元的沼泽湿地型及面积

辽宁省沼泽湿地资源分布按照地貌单元统计为：辽东山地丘陵区分布0.56万公顷，占全省沼泽湿地面积的5.10%；辽宁中部平原区分布9.24万公顷，占全省沼泽湿地面积的83.96%；辽宁西部山地丘陵区分布1.20万公顷，占全省沼泽湿地面积的10.94%(表2-24、图2-19)。

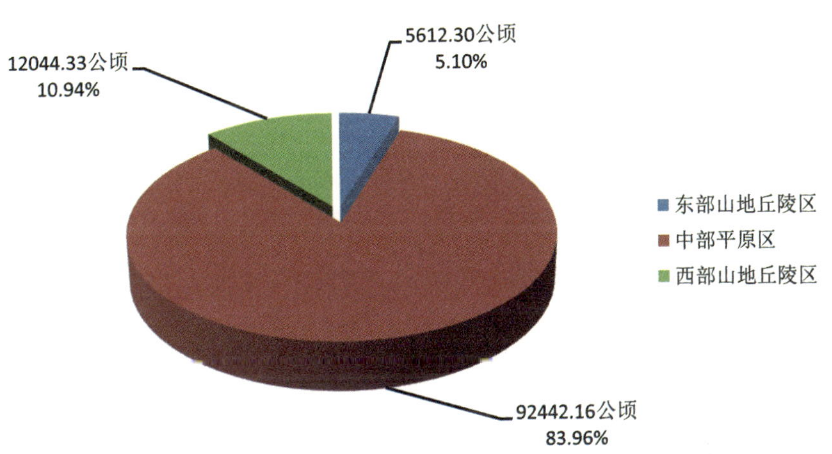

图2-19 辽宁省各地貌单元沼泽湿地面积比例构成

表 2-24 辽宁省各地貌单元沼泽湿地型面积统计(公顷)

地貌单元	湿地型			合 计
	草本沼泽	灌丛沼泽	沼泽化草甸	
东部山地丘陵区	4978.5		633.8	5612.3
中部平原区	90829.01		1613.15	92442.16
西部山地丘陵区	11988.86	39.65	15.82	12044.33
总 计	107796.37	39.65	2262.77	110098.79

2.5 人工湿地

人工湿地包含库塘、水产养殖场、盐田和输水河 4 个湿地型，湿地面积 31.71 万公顷，占湿地资源总面积的 22.74%。人工湿地与人类社会经济活动息息相关，广泛分布于辽宁省各流域和各湿地区。其中，库塘湿地在全省各湿地区均有分布，发挥着提供淡水、灌溉、发电、蓄水等重要生态服务功能；输水河湿地主要分布在中部平原水稻集中栽培区，以灌溉为主要目的；水产养殖场与盐田主要分布在沿海滩涂。另外，在沈阳市所辖的新民、辽中、康平、于洪等零星湿地区也分布有少量淡水水产养殖场。

2.5.1 各流域的人工湿地型及面积

(1)一级流域：人工湿地各湿地型在辽宁省各流域均有分布。在一级流域内，库塘湿地分布在辽河区、海河区和松花江区。其中，辽河区分布面积 12.20 万公顷，占库塘湿地面积的 99.92%；松花江区分布面积 0.01 万公顷，占库塘湿地面积的 0.06%；海河区分布面积 0.002 万公顷，占库塘湿地面积的 0.02%。输水河湿地全部分布在辽河区流域，面积 1.64 万公顷。水产养殖场湿地分布于辽河区和滨海湿地区，其中，在辽河区分布面积 13.93 万公顷，占水产养殖场湿地面积的 99.88%；滨海湿地区分布面积 0.02 万公顷，占水产养殖场湿地面积的 0.12%。盐田分布在辽河区，其分布面积 3.91 万公顷。

(2)二级流域：在辽河区，库塘湿地分布在东辽河，辽河干流，浑河、太子河，鸭绿江，东北沿黄、渤海诸河 5 个二级流域内。其中，东辽河分布 0.04 万公顷，占库塘湿地面积的 0.33%；辽河干流分布 2.57 万公顷，占库塘湿地面积的 21.07%；浑河、太子河分布 2.53 万公顷，占库塘湿地面积的 20.74%；鸭绿江分布 3.48 万公顷，占库塘湿地面积的 28.52%；东北沿黄、渤海诸河分布 3.58 万公顷，占库塘湿地面积的 29.34%。在松花江区，库塘湿地分布在第二松花江二级流域，面积 0.01 万公顷。在海河区，库塘湿地分布在滦河及冀东沿海诸河二级流域，面积 0.002 万公顷。

输水河分布在辽河区 4 个二级流域内。其中，辽河干流分布 0.56 万公顷，占输水河面积的 34.40%；浑河、太子河分布 0.86 万公顷，占输水河面积的 52.63%；鸭绿江分布 0.003 万公顷，占输水河面积的 0.18%；东北沿黄、渤海诸河分布 0.21 万公顷，占输水河面积的 12.79%。

水产养殖场分布在辽河区 3 个二级流域内。其中，辽河干流分布 1.38 万公顷，占水产养殖场面积的 9.88%；浑河、太子河分布 1.46 万公顷，占水产养殖场面积的 10.43%；东北沿黄、渤海诸河分布 11.10 万公顷，占水产养殖场面积的 79.56%。水产养殖场在滨海湿地区分布在滨海湿地二级流域，面积0.02万公顷。

盐田分布在辽河区2个二级流域内。其中，辽河干流分布0.19万公顷，占盐田面积的4.82%；东北沿黄、渤海诸河分布3.72万公顷，占盐田面积的95.18%。

(3)三级流域：在辽河区，库塘湿地分布在东辽河，柳河口以上，柳河口以下，浑河，太子河及大辽河干流，浑江口以上，浑江口以下，沿渤海西部诸河，辽东沿黄、渤海诸河等9个三级流域。在松花江区和海河区，库塘湿地各分布在丰满以上和滦河山区2个三级流域。输水河分布在辽河区的柳河口以上，柳河口以下，浑河，太子河及大辽河干流，浑江口以下，沿渤海西部诸河，辽东沿黄、渤海诸河7个三级流域。水产养殖场分布在辽河区的柳河口以上，柳河口以下，浑河，太子河及大辽河干流，沿渤海西部诸河及辽东沿黄、渤海诸河6个三级流域；以及滨海湿地区的滨海湿地1个三级流域。盐田分布在辽河区的柳河口以下及沿渤海西部诸河，沿黄、渤海诸河3个三级流域(表2-25)。

表2-25 辽宁省各流域人工湿地型面积统计(公顷)

一级流域	二级流域	三级流域	湿地型				
			库　塘	输水河	水产养殖场	盐　田	合　计
辽河区	东辽河	东辽河	385.40				385.40
	辽河干流	柳河口以上	19126.64	2348.94	318.98		21794.56
		柳河口以下	6570.20	3282.48	13462.01	1884.56	25199.25
	浑河、太子河	浑河	10444.45	1884.03	8866.49		21194.97
		太子河及大辽河干流	14883.34	6732.41	5685.91		27301.66
	鸭绿江	浑江口以上	11083.47				11083.47
		浑江口以下	23772.44	30.25			23802.69
	东北沿黄、渤海诸河	沿渤海西部诸河	10545.51	778.64	17041.89	3296.12	31662.16
		沿黄、渤海诸河	25225.63	1314.68	93937.90	33941.02	154419.23
		小计	122037.08	16371.43	139313.18	39121.70	316843.39
松花江区	第二松花江	丰满以上	71.27				71.27
海河区	滦河及冀东沿海诸河	滦河山区	22.81				22.81
滨海湿地	滨海湿地	滨海湿地			171.17		171.17
总　计			122131.16	16371.43	139484.35	39121.70	317108.64

2.5.2 各湿地区的人工湿地型及面积

在全省114个湿地区中，有99个分布有人工湿地，其中，库塘湿地分布在87个湿地区，其中面积最大的湿地区为水丰水库湿地区，面积2.14万公顷，占库塘湿地面积的17.55%；输水河湿地分布在30个湿地区，其中分布面积最大的湿地区为大洼县零星湿地区，面积0.34万公顷，占输水河湿地面积的20.49%；水产养殖场湿地分布在35个湿地区，其中分布面积最大的湿地区为瓦房店市零星湿地区，面积3.39万公顷，占水产养殖场湿地面积的24.31%；盐田湿地分布在9个湿地区，其中分布面积最大的湿地区为老边区零星湿地区，面积2.11万公顷，占盐田湿地面积的53.84%(表2-26)。

2.5.3　各行政区的人工湿地型及面积

在全省14个市级行政区中，库塘湿地均有分布，其中，分布面积最大的市为丹东市，面积2.88万公顷，占库塘湿地面积的23.61%；输水河湿地分布在10个市，其中分布面积最大的市为盘锦市，面积0.71万公顷，占输水河湿地面积的43.53%；水产养殖场湿地分布在9个市，其中分布面积最大的市为大连市，面积7.37万公顷，占水产养殖场湿地面积的52.86%；盐田湿地分布在4个市，其中分布面积最大的市为营口市，面积2.11万公顷，占盐田湿地面积的53.84%(表2-27)。

表2-26　辽宁省各湿地区人工湿地型面积统计(公顷)

序号	湿地区名称	湿地型				合　计
		库　塘	输水河	水产养殖场	盐　田	
1	大连斑海豹湿地区			6341.85	381.91	6723.76
2	双台河口湿地区	1343.54	675.26	17548.68	460.26	20027.74
3	鸭绿江口湿地区			8765.04		8765.04
4	六股河口湿地区			587.80		587.80
5	凌海湿地区	24.11		15116.46	3296.12	18436.69
6	皮口湿地区			3783.95		3783.95
7	庄河滨海湿地区			16351.55	420.58	16772.13
8	参窝水库湿地区	3234.61				3234.61
9	大伙房水库湿地区	6185.05				6185.05
10	观音阁水库湿地区	4977.12				4977.12
11	桓仁水库湿地区	7499.80				7499.80
12	碧流河水库湿地区	5154.82				5154.82
13	清河水库湿地区	3007.03				3007.03
14	水丰水库湿地区	21439.16				21439.16
15	汤河水库湿地区	2993.89				2993.89
16	仙子湖湿地区	1274.45		2067.69		3342.14
17	乌金塘水库湿地区	975.46				975.46
18	白石水库湿地区	3458.22				3458.22
19	石佛寺水库湿地区	2910.83				2910.83
20	大东区零星湿地区	23.97				23.97
21	皇姑区零星湿地区	44.07				44.07

（续）

序号	湿地区名称	湿地型				合 计
		库 塘	输水河	水产养殖场	盐 田	
22	铁西区零星湿地区		8.93	206.84		215.77
23	苏家屯区零星湿地区	30.90	195.76	753.79		980.45
24	东陵区零星湿地区	501.96	94.68			596.64
25	沈北新区零星湿地区	66.30	87.75			154.05
26	于洪区零星湿地区	275.51	131.44	374.23		781.18
27	新民市零星湿地区	283.18		2519.78		2802.96
28	辽中县零星湿地区	218.47	1613.11	3291.65		5123.23
29	康平县零星湿地区	1879.38	1426.88	150.96		3457.22
30	法库县零星湿地区	4591.34				4591.34
31	甘井子区零星湿地区	195.19				195.19
32	旅顺口区零星湿地区	376.44		1721.17		2097.61
33	金州区零星湿地区	971.38		6861.03		7832.41
34	瓦房店市零星湿地区	3479.55		33915.92	7570.15	44965.62
35	庄河市零星湿地区	5491.75				5491.75
36	普兰店市零星湿地区	2497.97		4752.39	4505.92	11756.28
37	长海县零星湿地区	26.60		12.43		39.03
38	千山区零星湿地区	13.89				13.89
39	台安县零星湿地区		15.48			15.48
40	海城市零星湿地区	542.14				542.14
41	岫岩满族自治县零星湿地区	195.70				195.70
42	望花区零星湿地区	35.88				35.88
43	顺城区零星湿地区	62.32				62.32
44	抚顺县零星湿地区	522.92				522.92
45	新宾满族自治县零星湿地区	492.50				492.50
46	清原满族自治县零星湿地区	546.64				546.64
47	溪湖区零星湿地区	74.43				74.43
48	明山区零星湿地区	16.48				16.48
49	南芬区零星湿地区	125.55				125.55
50	本溪满族自治县零星湿地区	353.82				353.82
51	桓仁满族自治县零星湿地区	2766.61				2766.61
52	元宝区零星湿地区	36.72				36.72

（续）

序号	湿地区名称	湿地型				合　计
		库　塘	输水河	水产养殖场	盐　田	
53	振兴区零星湿地区		149.62			149.62
54	东港市零星湿地区	5678.61	918.24			6596.85
55	凤城市零星湿地区	766.54				766.54
56	宽甸满族自治县零星湿地区	918.91				918.91
57	凌海市零星湿地区	153.93	413.82	169.99		737.74
58	北镇市零星湿地区	259.07	53.41			312.48
59	黑山县零星湿地区	697.73	370.71			1068.44
60	义县零星湿地区	646.51				646.51
61	站前区零星湿地区	177.57				177.57
62	西市区零星湿地区			91.57		91.57
63	老边区零星湿地区	1138.19	38.45	1891.66	21062.46	24130.76
64	鲅鱼圈区零星湿地区	20.80		292.57		313.37
65	盖州市零星湿地区	1223.57	192.61	1736.58		3152.76
66	大石桥市零星湿地区	606.69	2029.93	3686.23		6322.85
67	太平区零星湿地区	47.35				47.35
68	新邱区零星湿地区	16.57				16.57
69	细河区零星湿地区	54.30				54.30
70	阜新蒙古族自治县零星湿地区	1936.66	269.72			2206.38
71	彰武县零星湿地区	935.69	171.07			1106.76
72	白塔区零星湿地区		18.96			18.96
73	宏伟区零星湿地区	178.94				178.94
74	弓长岭区零星湿地区	91.53		22.17		113.70
75	太子河区零星湿地区	15.46				15.46
76	灯塔市零星湿地区	292	239.48			531.48
77	辽阳县零星湿地区	20.84	160.22	212.17		393.23
78	银州区零星湿地区		25.21			25.21
79	调兵山市零星湿地区	32.02				32.02
80	开原市零星湿地区	1432.80				1432.80
81	铁岭县零星湿地区	3141.31	564.93			3706.24
82	昌图县零星湿地区	866.86				866.86
83	西丰县零星湿地区	723.80				723.80

（续）

序号	湿地区名称	湿地型				合　计
		库　塘	输水河	水产养殖场	盐　田	
84	龙城区零星湿地区	828.91				828.91
85	北票市零星湿地区	255.15		14.44		269.59
86	凌源市零星湿地区	151.76				151.76
87	朝阳县零星湿地区	197.41				197.41
88	建平县零星湿地区	385.57				385.57
89	喀喇沁左翼蒙古族自治县零星湿地区	446.10				446.10
90	双台子区零星湿地区	66.86	55.06	95.44		217.36
91	兴隆台区零星湿地区	321.73	40.72		112.24	474.69
92	盘山县零星湿地区	1230.75	2999.89	257.46	1312.06	5800.16
93	大洼县零星湿地区	2291.80	3354.93	895.21		6541.94
94	连山区零星湿地区	252.22		169		421.22
95	南票区零星湿地区	94.43				94.43
96	龙港区零星湿地区			103.53		103.53
97	兴城市零星湿地区	429.15	19.97	3759.89		4209.01
98	绥中县零星湿地区	1024.84	35.19	963.23		2023.26
99	建昌县零星湿地区	862.58				862.58
总　计		122131.16	16371.43	139484.35	39121.70	317108.64

表 2-27　辽宁省各市级行政区人工湿地型面积统计（公顷）

序号	行政区名称	湿地型				合　计
		库　塘	输水河	水产养殖场	盐　田	
1	沈阳市	12100.36	3558.55	9364.94		25023.85
2	大连市	17703.91		73740.29	12878.56	104322.76
3	鞍山市	751.73	15.48			767.21
4	抚顺市	7845.31				7845.31
5	本溪市	15813.81				15813.81
6	丹东市	28839.94	1067.86	8765.04		38672.84
7	锦州市	1781.35	837.94	15286.45	3296.12	21201.86
8	营口市	3656.61	2260.99	7698.61	21062.46	34678.67
9	阜新市	2990.57	440.79			3431.36

（续）

序号	行政区名称	湿地型				合 计
		库 塘	输水河	水产养殖场	盐 田	
10	辽阳市	6827.27	418.66	234.34		7480.27
11	铁岭市	9203.82	590.14			9793.96
12	朝阳市	5723.12		14.44		5737.56
13	盘锦市	5254.68	7125.86	18796.79	1884.56	33061.89
14	葫芦岛市	3638.68	55.16	5583.45		9277.29
总 计		122131.16	16371.43	139484.35	39121.70	317108.64

2.5.4 各地貌单元的人工湿地型及面积

辽宁省人工湿地资源分布按照地貌单元统计为：辽东山地丘陵区分布18.61万公顷，占全省人工湿地面积的58.69%；辽宁中部平原区分布9.13万公顷，占全省人工湿地面积的28.81%；辽宁西部山地丘陵区分布3.96万公顷，占全省人工湿地面积的12.50%（表2-28、图2-20）。

表2-28 辽宁省各地貌单元人工湿地型面积统计（公顷）

地貌单元	湿地型				合 计
	库 塘	输水河	水产养殖场	盐 田	
东部山地丘陵区	86757.84	2010.83	84476.25	12878.56	186123.48
中部平原区	21239.60	13026.71	34123.76	22947.02	91337.09
西部山地丘陵区	14133.72	1333.89	20884.34	3296.12	39648.07
总 计	122131.16	16371.43	139484.35	39121.7	317108.64

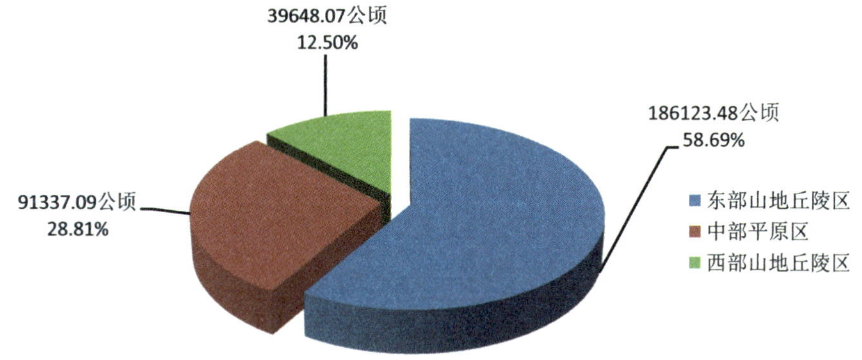

图2-20 辽宁省各地貌单元人工湿地面积比例构成

第三章
湿地生物资源

第一节
湿地植物和植被

1 湿地植物种类及组成

1.1 湿地植物种类

本次调查共统计到湿地高等植物402种，隶属82科237属。其中苔藓类植物3科7属11种，蕨类植物5科5属6种，被子植物74科225属385种(表3-1)。

1.2 湿地植物组成

1.2.1 湿地植物科级组成

全省湿地植物共隶属82个科，其中含属10个以上的科有4个，占总科数的4.88%；含属2~9个的科有33个，占总科数的40.24%；仅含单属的科有45个，占总科数的54.88%。含属数量前4位的科依次为：禾本科，含32属；菊科，含27属；豆科，含18属；伞形科，含10属。

1.2.2 湿地植物属级组成

全省湿地植物共隶属237个属，其中含种10个以上的属有4个，占总属数的1.69%；含种2~9个的属有61个，占总属数的25.74%；仅含单种的属有172个，占总属数的72.57%。含种数量前4位的属依次为：蓼属，含15种；蒿属，含14种；眼子菜属，含12种；薹草属，含10种。

1.2.3 常见湿地植物种类

依据湿地植物生长环境不同，可将湿地植物分为水生植物、沼生植物和湿生植物。其中，常见植物种类包括：

水生植物：眼子菜科菹草、眼子菜；小二仙草科狐尾藻、穗状狐尾藻；水鳖科黑藻；金鱼藻科金鱼藻；槐叶苹科槐叶苹；浮萍科浮萍等。

沼生植物：禾本科芦苇、拂子茅、白茅、獐毛；莎草科槽秆荸荠、水葱、扁秆藨草；水麦冬科水麦冬；灯心草科灯心草；香蒲科宽叶香蒲等；藜科盐地碱蓬；黑三棱科黑三棱。

湿生植物：千屈菜科千屈菜；泽泻科泽泻、慈姑；木贼科木贼；天南星科菖蒲；蓼科水蓼、红蓼；禾本科草地早熟禾、早熟禾、结缕草、菰、羊草；莎草科乌拉草、粗脉薹草、具芒碎米莎草；伞形科水芹；鸢尾科马蔺等；蔷薇科委陵菜；菊科蒌蒿、猪毛蒿。

1.2.4 国家重点保护湿地植物

依据《国家重点保护野生植物名录》(第一批)，在全省湿地植物中有国家Ⅱ级保护野生植物4种，分别为珊瑚菜、野大豆、中华结缕草和穿龙薯蓣。

珊瑚菜隶属伞形科，分布于葫芦岛市及大连市长海县海滨沙滩。珊瑚菜作为中药材，经济价值较大，同时对于海岸固沙也起到重要作用。

野大豆隶属豆科，主要分布于湖泊、库塘与河流周边的沼泽化草甸湿地，在大豆优良品种培育方面具有重要价值。

中华结缕草是禾本科结缕草属的一种多年生植物，具根状茎。具有耐湿、耐旱、耐盐碱的特性。由于根系发达，生长匍匐性好，故可被用作草坪草。

穿龙薯蓣隶属薯蓣科，薯蓣属，为多年生缠绕草本。根茎横生，圆柱形，木质，多分枝，茎近无毛。药用植物，根状茎含薯蓣皂苷元，是合成甾体激素类药物的重要原料。

表3-1 辽宁省湿地高等植物科、属、种数量统计

序号	科		属(个)	种(个)
	中文名	拉丁名		
	被子植物		225	385
1	百合科	Liliaceae	2	2
2	败酱科	Valerianaceae	2	2
3	报春花科	Primulaceae	3	4
4	车前科	Plantaginaceae	1	3
5	柽柳科	Tamaricaceae	1	1
6	唇形科	Labiatae	9	11
7	茨藻科	Najadaceae	1	3
8	大戟科	Euphorbiaceae	2	2
9	灯心草科	Juncaceae	1	6
10	豆科	Leguminosae	18	24
11	浮萍科	Lemnaceae	2	3
12	沟繁缕科	Elatinaceae	1	1
13	谷精草科	Eriocaulaceae	1	1
14	禾本科	Gramineae	32	52
15	黑三棱科	Sparganiaceae	1	2
16	胡麻科	Pedaliaceae	1	1

（续）

序号	科		属（个）	种（个）
	中文名	拉丁名		
17	胡桃科	Juglandaceae	1	1
18	葫芦科	Cucurbitaceae	1	1
19	虎耳草科	Saxifragaceae	2	2
20	花蔺科	Butomaceae	1	1
21	花荵科	Polemoniaceae	1	1
22	桦木科	Betulaceae	2	2
23	槐叶苹科	Salviniaceae	1	1
24	夹竹桃科	Apocynaceae	1	1
25	金鱼藻科	Ceratophyllaceae	1	3
26	堇菜科	Violaceae	1	1
27	锦葵科	Malvaceae	2	2
28	桔梗科	Campanulaceae	1	1
29	菊科	Compositae	27	58
30	蓝雪科	Plumbaginaceae	1	1
31	狸藻科	Lentibulariaceae	1	1
32	藜科	Chenopodiaceae	6	12
33	楝科	Meliaceae	1	1
34	蓼科	Polygonaceae	2	16
35	菱科	Trapaceae	1	3
36	柳叶菜科	Onagraceae	3	3
37	龙胆科	Gentianaceae	1	1
38	萝藦科	Asclepiadaceae	3	5
39	马齿苋科	Portulacaceae	1	1
40	牻牛儿苗科	Geraniaceae	1	1
41	毛茛科	Ranunculaceae	3	4
42	木兰科	Magnoliaceae	1	1
43	葡萄科	Vitaceae	1	1
44	千屈菜科	Lythraceae	1	1
45	茜草科	Rubiaceae	2	2
46	蔷薇科	Rosaceae	6	11
47	茄科	Solanaceae	2	2

（续）

序号	科		属（个）	种（个）
	中文名	拉丁名		
48	伞形科	Umbelliferae	10	10
49	桑科	Moraceae	1	1
50	莎草科	Cyperaceae	9	31
51	杉叶藻科	Hippuridaceae	1	1
52	十字花科	Cruciferae	5	9
53	石竹科	Caryophyllaceae	3	5
54	薯蓣科	Dioscoreaceae	1	1
55	水鳖科	Hydrocharitaceae	3	3
56	水马齿科	Callitrichaceae	1	1
57	水麦冬科	Juncaginaceae	1	2
58	天南星科	Araceae	2	2
59	卫矛科	Celastraceae	1	1
60	苋科	Amaranthaceae	2	3
61	香蒲科	Typhaceae	1	5
62	小二仙草科	Haloragidaceae	1	3
63	玄参科	Scrophulariaceae	4	5
64	旋花科	Convolvulaceae	3	4
65	荨麻科	Urticaceae	2	2
66	鸭跖草科	Commelinaceae	2	2
67	眼子菜科	Potamogetonaceae	4	16
68	杨柳科	Salicaceae	1	6
69	罂粟科	Papaveraceae	1	1
70	雨久花科	Pontederiaceae	2	3
71	鸢尾科	Iridaceae	1	2
72	泽泻科	Alismataceae	2	2
73	紫草科	Boraginaceae	3	3
74	酢浆草科	Oxalidaceae	1	1
	蕨类植物		5	6
75	金星蕨科	Thelypteridaceae	1	1
76	满江红科	Selaginellaceae	1	1
77	木贼科	Azollaceae	1	2

（续）

序号	科		属(个)	种(个)
	中文名	拉丁名		
78	水龙骨科	Equisetaceae	1	1
79	铁角蕨科	Onocleaceae	1	1
	苔藓植物		7	11
80	柳叶藓科	Amblystegiaceae	3	5
81	钱苔科	Ricciaceae	3	3
82	水藓科	Fontinalaceae	1	3
总　计			237	402

1.3 湿地植物地理成分

根据吴征镒1991年所确定的中国种子植物属的15个分布类型，可将辽宁湿地种子植物225个属划分为13个分布型。在13个分布型中，属于世界广布属的有66个，占湿地种子植物总属的29.33%；各种热带分布类型有59个属，占湿地种子植物总属数的26.22%；各种温带分布类型100个属，占湿地种子植物总属数的49.78%。热带成分与温带成分的比值，即R/T值为0.53。由此可见，辽宁湿地种子植物区系中，温带成分占优势，种子植物区系具有温带性质。

1.3.1 世界分布成分属

世界分布成分类型其分布特点为几乎遍布各大洲，分布的广泛性是该类属的最大特点，它们是没有特殊分布中心的属。这一类型的属在辽宁湿地有66属，占湿地种子植物总属数的29.33%，主要有黄耆属、山黧豆属、紫穗槐属、紫萍属、荩草属、芦苇属、穇属、黍属、甜茅属、茵草属、野古草属、獐毛属、槐叶苹属、木槿属、苘麻属、鬼针草属、蒿属、苦荬菜属等。从生态习性来看，这些类型通常都是中生性的草本，且大多数都生于河岸或湖沼、水田边。

1.3.2 泛热带分布成分属

泛热带分布成分类型是指分布于东、西半球热带，或在全世界热带范围内有一个或几个分布中心，但在其他地区也有一些种类分布的热带属。该类型常见于亚热带的山地，在温带也有分布但频率不高，在辽宁湿地区主要以草本为主。这一类型及其变型在湿地内共有30属，占湿地种子植物总属数的13.33%，主要有水苏属、铁苋菜属、合欢属、合萌属、决明属、沟繁缕属、白茅属、稗属、狗尾草属、虎尾草属、画眉草属、剪股颖属、狼尾草属、马唐属、双稃草属、金鱼藻属、白酒草属、石胡荽属、丁香蓼属等。这 类型植物种通常不能构成湿地的优势种，以伴生形态出现。

1.3.3 旧世界热带分布成分属

旧世界热带分布成分类型的属在辽宁省湿地内有7属，占湿地种子植物总属数的3.11%，主要有雨久花属、水竹叶属、牛鞭草属、束尾草属、楝属、水筛属、石龙尾属。这些属也并不是严格的热带属，它们的分布区或多或少可以延伸到亚热带地区，少数种还可以延伸到温带。

1.3.4 热带亚洲至热带非洲分布成分属

此类型在辽宁湿地有3属，占湿地种子植物总属数的1.33%。常见代表属有香茶菜属、莠竹属、杠柳属等。它们在湿地中多分布于低洼地及河谷。

1.3.5 热带亚洲分布成分属

在辽宁湿地中该类型有4属，占湿地种子植物总属数的1.78%，主要代表属包括莎草属、黄精属、香薷属、葛属等。

1.3.6 北温带分布成分属

该类型在辽宁湿地中分布有48属，占湿地种子植物总属数的21.35%，是湿地最多的分布型。其中，木本植物主要有柳属、桦木属等；草本植物主要有野豌豆属、天南星属、唐松草属、蒲公英属、紫菀属等。

1.3.7 东亚和北美洲间断分布成分属

东亚和北美间断分布是指间断分布于东亚和北美洲温带及亚热带地区的属。该类型在辽宁湿地中有10属，占湿地种子植物总属数的4.44%，包括胡枝子属、两型豆属、枫杨属等。

1.3.8 旧世界温带分布成分属

旧世界温带分布类型是指广泛分布于欧洲、亚洲中高纬度的温带和寒温带，或有个别延伸到亚洲、非洲热带山地或甚至澳大利亚的属。本类型在辽宁湿地中有22属，占湿地种子植物总属数的9.78%，主要有夏至草属、益母草属、草木犀属、车轴草属、苜蓿属、大麦属、赖草属、燕麦属、沙参属、风毛菊属、菊属、苦苣菜属、毛连菜属等。

1.3.9 温带亚洲分布成分属

该类型在辽宁湿地中共有6属，占湿地种子植物总属数的2.67%，分别是水棘针属、米口袋属、狗娃花属、马兰属、女菀属、防风属。

1.3.10 东亚分布成分属

东亚分布成分属是指从东喜马拉雅一直分布到日本的属。本类型属在辽宁湿地中有12属，占湿地种子植物总属数的5.33%，主要有紫苏属、浮萍属、茶菱属、繁缕属等。

1.3.11 地中海西亚至中亚分布成分属

该类型在辽宁湿地中共有2属，占湿地种子植物总属数的0.89%，有茴香属、珍珠菜属等。

1.3.12 热带亚洲和热带美洲间断分布成分属

该类型在辽宁湿地中共有12属，占湿地种子植物总属数的5.33%，主要有安息香属、慈姑属、谷精草属等。

1.3.13 热带亚洲至热带大洋洲分布成分属

该类型在辽宁湿地中共有3属，占湿地种子植物总属数的1.33%，主要有大豆属、结缕草属、通泉草属等。

1.4 湿地植物特征

1.4.1 植物种类丰富

辽宁省湿地植物种类比较丰富，在湿地环境下分布和生长的自然植物种类(高等植物)402种，隶属于82科237属。其中苔藓类植物3科7属11种；蕨类植物5科5属6种；被子植物74科225

属385种。同时，在这些植物群体中，可体现药用价值的植物约有250余种；可作为油料的植物约有40余种；可体现其他经济价值的植物约有100余种。所以说湿地是生物物种的基因库。

1.4.2 植物区系性复杂，过渡性明显

根据湿地区植物科、属的分布数量和类型，辽宁湿地表现出不同的植物分布地理成分，具有世界广布成分、温带暖温带成分、热带亚热带成分。首先表现的温带特性比较突出，其次世界分布特性也较明显。热带成分与温带成分的比值，即R/T值为0.53。由此可见，在湿地种子植物区系中，辽宁省温带成分占优势；世界广布成分居次；热带成分有，但不能构成成分主体。另外种子植物区系具有温带性质。按中国植被区划，辽宁湿地跨华北落叶阔叶林区、长白红松落叶阔叶混交林区及大兴安岭南部森林草原3个分布区。上述3个森林分布区也恰好是长白、华北、蒙古3个植物区系所在的位置，从而表现出植物区系的复杂性。同时湿地区均处在平原和沟谷地带，湿地能量和物种基因交流障碍较小，传播途径有效，有利于各植物区系间的沟通与交流。由此而反映出湿地区各植物区系过渡性明显的特点。

1.4.3 优势科、属明显

多数种子植物种类均隶属于少数优势的科、属，以菊科、禾本科、豆科、莎草科、蓼科等典型北温带科为优势科。这也说明本区系具有典型的北温带性质和世界广布性。

1.4.4 湿地草本植物发达

辽宁省湿地植物中草本植物占优势，占总种数的96.53%。湿地植物主要以水生、沼生和湿生为主，广泛生长在河流滩地、库塘周边及沿海海岸的沼泽、草甸中。芦苇作为其中的单优势种，其面积最大，单位面积覆盖度高，为辽宁湿地典型的植被分布类型。

2 湿地植被类型及分布

2.1 湿地植被类型

辽宁省湿地植被类型丰富多样，根据《中国植被》的分类系统和各级分类单位的划分标准，可归纳为4个植被类型组，9个植被类型，32个群系。分类系统如下：

2.1.1 阔叶林湿地植被型组

Ⅰ. 落叶阔叶林湿地植被型

(1)垂柳群系

2.1.2 灌丛湿地植被型组

Ⅰ. 落叶阔叶灌丛湿地植被型

(1)小红柳群系

(2)杞柳群系

(3)沼柳群系

Ⅱ. 盐生灌丛湿地植被型

(1)柽柳群系

(2)碱蓬群系

2.1.3 草丛湿地植被型组

Ⅰ. 莎草型湿地植被型

(1)槽秆荸荠群系

(2)粗脉薹草群系

(3)具芒碎米莎草群系

(4)水葱群系

(5)黑三棱群系

(6)乌拉草群系

Ⅱ. 禾草型湿地植被型

(1)芦苇群系

(2)拂子茅群系

(3)假苇拂了茅群系

(4)羊草群系

(5)早熟禾群系

(6)獐毛群系

Ⅲ. 杂类草湿地植被型

(1)宽叶香蒲群系

(2)菖蒲群系

(3)灯心草群系

(4)慈姑群系

(5)委陵菜群系

(6)蒌蒿群系

(7)盐地碱蓬群系

(8)水蓼群系

2.1.4 浅水植物湿地植被型组

Ⅰ. 漂浮植物型

(1)浮萍群系

Ⅱ. 浮叶植物型

(1)荇菜群系

Ⅲ. 沉水植物型

(1)菹草群系

(2)眼子菜群系

(3)东北金鱼藻群系

(4)穗状狐尾藻群系

2.2 主要湿地植被类型分布

(1)垂柳群系：该群系分布于河流、库塘、滩地周边，面积小，呈带状或小片状分布，为人工栽培。

(2)杞柳群系：该群系多分布于辽东山地宽谷沼泽，属温带区域内生长的一组群落。通常高1~2米，盖度在40%~60%之间；草本层优势种为灯心草、委陵菜、马唐等，草本层盖度在20%~40%。

(3)小红柳群系：分布于辽西北沙丘间洼地及河边，高1~2米，盖度在30%~50%之间。该群落是沙地先锋灌木树种，对固定流动和半流动沙丘有良好效果。草本层优势种主要有鹅绒委陵菜、早熟禾、狗尾草等，盖度在30%左右。

(4)柽柳群系：柽柳是优良的盐碱地造林树种，对防风固沙也有较好的作用，在沿海湿地和内陆沙地均有分布，以盘锦分布居多，植被盖度在30%~70%之间不等，多为人工栽培。草本层盖度30%~50%，优势种为盐地碱蓬、罗布麻、碱蒿等。

(5)盐地碱蓬群系：该群系分布于滨海潮沟两侧或受潮水浸蚀的低洼地带。土壤为草甸盐土，质地黏重，含盐量在1%左右。由于土壤盐分过高，其他植物难以生存，唯有耐盐极高的碱蓬形成单一群落，是滨海盐生裸地上的先锋植物群落。碱蓬是海退后一定阶段的过度植物群落，在此阶段内常可见有几平方公里大面积的分布。碱蓬植株高30~40厘米，盖度60%~80%。据测，每平方米有600株，生物量较高，是优质的畜牧、渔业饲料。其他伴生种有盐角草、辽宁碱蓬等。该群系在沿海湿地均有分布，以辽河三角洲居多。

(6)乌拉草群系：该群系主要分布于辽宁东部山区泥炭沼泽区，植株高50~80厘米，盖度40%~60%之间。伴生种主要有灯心草、槽秆荸荠等。现存层片较小，大部分已被开垦为水稻田。

(7)粗脉薹草群系：该群系广布于辽宁各地过湿草甸，群落长期生长在土壤过湿或长期积水的环境中，积水深一般不超过15厘米，土壤多为沙壤质草甸土。主要伴生种有水莎草、荩草、黄颖莎草、水芹、水葱、千屈菜等。

(8)水葱群系：该群系分布于全省各地，以辽河平原湿地居多，主要生长在湖泊、库塘、河流湿地浅水中。草本层盖度30%~60%，主要伴生种有慈姑、泽泻。

(9)黑三棱群系：全省广泛分布，以近岸浅水区或季节性积水地段居多，群落单优种特征明显，建群种黑三棱平均高0.8米；常见伴生种有稗草等。

(10)具芒碎米莎草群系：该群系在全省广泛分布，群落多生长在沙质的低湿洼地，常呈季节性积水，群落单优种特征明显，具芒碎米莎草平均高0.5米；常见伴生种有水莎草、稗草等。

(11)芦苇群系：该群系是辽宁湿地分布最广、面积最大的湿地植物群系。依照土壤种类和土壤养分积累过程和积水深度、时间不同而表现不同群落组合及空间特征，无泥炭层芦苇沼泽分布在鸭绿江口以西黄海北岸的平原地带和辽河三角洲，该类型通常终年积水，生长季节水深40~80厘米，芦苇高1.5~2.5米，盖度通常70%~90%，伴生植物种有盐地碱蓬、眼子菜、香蒲、扁秆藨草等；有泥炭层芦苇沼泽分布在辽宁东部山区环形宽谷地带，高1.5~2.5米，季节积水或部分积水；沿河沙质芦苇沼泽广泛分布在河边湿地，植株高1.5~2米，盖度在30%~50%之间，伴生种有欧亚旋覆花、千屈菜等。另外一组芦苇植被群落则分布在河流两岸沙质草甸上，一般积水时间很短，但地下水位较高。常见伴生植物种有蒌蒿、委陵菜、马唐等。

(12)拂子茅群系：该群系分布于辽宁中部、北部河岸地表湿润的滩地，高0.5~1.0米，盖度在70%以上。群落中以拂子茅和假苇拂子茅为优势种，还伴生有羊草、荩草、车前以及一些菊科植物。植物种类较丰富，植被盖度可达60%。

(13)羊草群系：该群系主要分布于辽宁南部近海盐生草甸和北部沙地丘间低洼湿地，通常积水时间很短或偶有积水，连续分布面积不大，常呈斑块状，高约0.5~1.0米，盖度在50%以上。伴生种主要有拂子茅、獐毛、猪毛菜等。

(14)獐毛群系：该群系为近海沼泽化草甸的主要建群种，是温带气候区盐土的指示性植物。分布于辽宁南部渤海沿岸盐土区，与盐生植物混生，高0.2米，盖度在60%以上。主要伴生种有羊草、碱茅等。

(15)宽叶香蒲群系：该群系广泛分布于辽宁各地库塘、河流、湖泊、沼泽湿地浅水处，高1.5米，盖度在50%~80%。通常土壤为淤泥质沼泽土。建群种为宽叶香蒲，常形成单优群落，常见的伴生植物有芦苇、水葱、水蓼、泽泻、慈姑、灯心草、眼子菜、水莎草等，还有沉水植物狐尾藻以及浮水植物浮萍等。

(16)委陵菜群系：该群系广泛分布于辽宁中部平原区库塘、湖泊湿地及河流湿地周边草甸，高0.2米，盖度在60%以上。单优种特征明显，主要伴生种有水莎草、马齿苋、早熟禾等。

(17)蒌蒿群系：该群系分布于辽宁东部山区河流两侧湿草甸及湿地浅水边，高度0.3~0.6米，盖度在40%~60%。群落结构较为单纯，常见伴生种多为狼杷草、水蓼等。

(18)水蓼群系：该群系广泛分布于辽宁各地库塘、湖泊、河流湿地周边草甸，高0.3~0.6米，盖度30%~40%。常与其他湿生植物伴生。

(19)盐地碱蓬群系：该群系分布在辽河三角洲低盐区的河床两侧，植株高0.6~1.2米，盖度40%~60%。常见伴生种有芦苇、拂子茅、早熟禾、猪毛菜等。

(20)浮萍群系：该群系分布于辽宁各地库塘、湖泊避风的静止水面处及稻田等静水中，高0.03~0.06米，盖度50%以上。浮萍叶绿色，两面平滑，浮于水面，伴生的有紫萍和眼子菜等。

(21)荇菜群系：该群系分布于辽宁中部平原水流缓慢的库塘与湖泊湿地。在沈阳獾子洞水库湿地有单优势种分布，盖度在20%~80%之间，局部可形成全覆盖。伴生种较少，常见有浮萍、满江红等。

(22)眼子菜群系：该群系在辽宁各地库塘、湖泊及水稻田的静止水面处均有分布，盖度50%以上。群落种类组成简单，仅伴生有菹草。

(23)金鱼藻群系：该群系生于辽宁各地湖泊、库塘、水渠、水沟中，盖度50%~60%。沿岸水深1.5米处可见，水透明度大。建群种金鱼藻具有较长的分枝茎，它们以不同的比例聚生在一起，伴生种有穗状狐尾藻等其他沉水植物。

(24)穗状狐尾藻群系：该群系广泛分布于辽宁各地湖泊、库塘水深约2米的水域中，盖度50%~60%。穗状狐尾藻开花时，直立的花序挺出水面。常伴生有眼子菜、东北金鱼藻等(表3-2)。

表 3-2 辽宁省湿地植物群系及分布

植物型组	植物型	群 系	分 布
阔叶林湿地植被型组	落叶阔叶林湿地植被型	垂柳群系	辽宁各地河流、库塘周边
灌丛湿地植被型组	落叶阔叶灌丛湿地植被型	小红柳群系	辽西北沙丘间洼地及河边
		杞柳群系	辽东山地宽谷沼泽
		沼柳群系	辽东、辽北草甸、沼泽及河岸潮湿地方
	盐生灌丛湿地植被型	柽柳群系	辽宁沿海湿地
		碱蓬群系	辽宁滨海潮沟两侧或受潮水浸蚀的低洼地带
草丛湿地植被型组	莎草型湿地植被型	槽秆荸荠群系	辽宁各地沼泽湿地
		粗脉薹草群系	辽宁各地过湿草甸
		具芒碎米莎草群系	辽西沙质低湿洼地
		水葱群系	辽宁各地湖泊、库塘、河流湿地浅水
		黑三棱群系	辽宁各地湖泊、库塘、河流湿地浅水
		乌拉草群系	辽宁东部山区泥炭沼泽
	禾草型湿地植被型	芦苇群系	辽宁各地沼泽湿地
		拂子茅群系	辽宁中部、北部河岸地表湿润的滩地
		假苇拂子茅群系	辽宁中部、北部河岸地表湿润的滩地
		羊草群系	辽宁南部近海盐生草甸和北部沙地丘间低洼湿地
		早熟禾群系	辽宁平原和丘陵的河岸或草甸湿地
		獐毛群系	辽宁南部渤海沿岸盐土区
	杂类草湿地植被型	宽叶香蒲群系	辽宁各地库塘、河流、湖泊、沼泽湿地浅水区
		菖蒲群系	辽宁各地库塘、湖泊岸边浅水区、沼泽地
		灯心草群系	辽东、中部平原河流、库塘滩地及沼泽湿地
		慈姑群系	辽宁各地河流滩地浅水
		委陵菜群系	辽宁中部平原区库塘、湖泊湿地及河流湿地周边草甸
		蒌蒿群系	辽宁东部山区河流两侧湿草甸及湿地浅水边
		盐地碱蓬群系	辽宁滨海潮沟两侧或受潮水浸蚀的低洼地带
		水蓼群系	辽宁各地库塘、湖泊、河流湿地周边草甸
浅水植物湿地植被型组	漂浮植物型	浮萍群系	辽宁各地库塘、湖泊避风的静止水面
	浮叶植物型	荇菜群系	辽宁中部平原水流缓慢的库塘与湖泊湿地
	沉水植物型	菹草群系	辽宁各地库塘、输水河及缓流河水中
		眼子菜群系	辽宁各地库塘、湖泊等静止水面
		东北金鱼藻群系	辽宁各地湖泊、库塘水域
		穗状狐尾藻群系	辽宁各地湖泊、库塘水深约 2 米的水域

第二节 湿地野生动物资源

1 湿地野生动物种类

1.1 湿地野生动物种类

本次调查获悉，全省湿地野生脊椎动物共412种，隶属于5纲41目130科，其中哺乳纲2目2科2种，鸟纲9目23科157种，爬行纲1目1科1种，两栖纲2目6科15种，鱼纲27目98科237种(表3-3)。

表3-3 辽宁省湿地野生动物基本情况

类 别	湿地野生脊椎动物			全省野生脊椎动物			湿地脊椎动物占全省同类物种比例(%)		
	目	科	种	目	科	种	目	科	种
哺乳类	2	2	2	8	26	81	25.00	7.69	2.47
鸟 类	9	23	157	20	72	418	45.00	31.94	37.56
爬行类	1	1	1	1	3	28	100.00	33.33	3.57
两栖类	2	6	15	2	6	16	100.00	100.00	93.75
鱼 类	27	98	237	30	122	322	90.00	80.33	73.60
合 计	41	130	412	61	229	865	67.21	56.77	47.63

1.2 国家重点保护湿地野生动物种类

经本次调查，在湿地野生动物资源中国家重点保护野生动物共31种。其中，国家Ⅰ级保护动物7种，有东方白鹳、黑鹳、丹顶鹤、白头鹤、白鹤、中华秋沙鸭和遗鸥。国家Ⅱ级保护动物24种，其中鸟纲20种，包括黄嘴白鹭、黑头白鹮、白琵鹭、黑脸琵鹭、白额雁、大天鹅、小天鹅、疣鼻天鹅、灰鹤、角䴙䴘、海鸬鹚、花田鸡、长嘴剑鸻、白枕鹤、蓑羽鹤、鸳鸯、鹗、小杓鹬、小青脚鹬和中白鹭；哺乳纲2种，包括斑海豹和江豚；鱼纲2种，包括松江鲈和细鳞鲑。

2 湿地野生动物资源特点

2.1 湿地野生动物资源种类丰富

辽宁省地形复杂，形成了独特的湿地生态环境和鲜明的湿地生态系统，为湿地野生动物栖息、繁衍创造了良好条件。经本次调查，全省湿地野生动物种类412种，其中哺乳类2种，占全省哺乳类种数的2.47%；鸟类157种，占全省鸟类种数的37.56%；爬行类1种，占全省爬行类种数的3.57%；两栖类15种，占全省两栖类种数的93.75%；鱼类237种，占全省鱼类种数的

73.60%。湿地野生动物种类，丰富了湿地生态系统的生物多样性，促进了生态系统服务功能的发挥。

2.2　湿地野生动物中濒危物种较多

依据《中国濒危动物红皮书》，辽宁省湿地濒危野生动物20种，其中鸟纲18种，包括黑颈鹛鹈、黄嘴白鹭、东方白鹳、黑鹳、白琵鹭、黑脸琵鹭、大天鹅、小天鹅、疣鼻天鹅、鸳鸯、丹顶鹤、白头鹤、白枕鹤、蓑羽鹤、白鹤、中华秋沙鸭、黑尾塍鹬、小青脚鹬；鱼纲2种，包括鳗鲡、松花鲈。濒危野生动物是珍贵的、不可替代的自然资源，在维护生态平衡方面发挥着重要作用。较多的濒危野生动物种类分布，也体现出辽宁湿地生态系统在维护全球生态系统平衡中的重要地位。

2.3　湿地野生动物经济价值高

湿地野生动物有许多具有较高经济价值，既能满足人们的经济需要，也能满足人们物质文化的需求。其中鱼类就是湿地赋予人类最宝贵的物质财富之一。辽宁省湿地鱼类利用形式主要包括两种，一为近海捕捞，二为淡水养殖。2007年，辽宁近海海水捕捞产量为133.50万吨，2008年捕捞产量为134.80万吨，增长0.97%；2007年淡水产品完成73.19万吨，2008年完成83.30万吨，比上年增长13.79%，均呈递增趋势。近海捕捞主要种类包括马口鱼、花鲈、银鲳等；淡水养殖种类主要包括鲤、鲫、鲢、草鱼等。在两栖类中，蟾蜍科分布的4个种，所能产出的蟾酥、蟾衣等，爬行类鳖科中华鳖等都有较高的药用价值。在充分保护的前提下，湿地野生动物通过人工驯养、繁殖，适当开发利用，可以实现更高的经济价值。

3　湿地鸟类

3.1　湿地鸟类种类

经调查，辽宁省湿地鸟类共有157种，隶属于9目23科，其中鸻形目72种，占湿地鸟类种数的45.86%，为全省湿地中最多的鸟类；雁形目34种，占湿地鸟类种数的21.66%；鹳形目19种，占湿地鸟类种数的12.10%；鹤形目16种，占湿地鸟类种数的10.19%。在鸟类中，有7种国家Ⅰ级保护种；20种国家Ⅱ级保护种(表3-4)。

3.2　湿地鸟类分布

(1)潜鸟目：该目分布在我省有1科3种。其中，白嘴潜鸟繁殖于欧亚大陆及北美洲极北部，冬季抵太平洋沿海地带，在辽宁主要分布在辽东半岛及大连沿海沿岸，全省调查时见到约1千多只。

(2)鹛鹈目：该目分布在我省有1科5种。广泛分布于辽宁省沿海及内陆沼泽湿地，在沼泽、池塘和湖泊中丛生的芦苇、灯心草、香蒲等处营巢，全省调查时见到约1万多只。

(3)鹈形目：该目分布在我省有1科4种。普通鸬鹚在辽宁数量较多，主要分布于大连市长海县沿海岛屿与盘锦双台河口湿地，全省调查时见到约1万多只。

表 3-4 辽宁省湿地鸟类基本情况统计

序 号	目	科(个)	种(个)
1	潜鸟目	1	3
2	鹈鹕目	1	5
3	鹈形目	1	4
4	鹳形目	3	19
5	雁形目	1	34
6	隼形目	1	1
7	鹤形目	2	16
8	鸻形目	10	72
9	佛法僧目	3	3
总 计		23	157

(4)鹳形目：该目分布在我省有 3 科 19 种。广泛分布于辽东半岛沿海沼泽及辽宁中、西部地区库塘、河流，全省调查时见到约 3 万多只。其中黄嘴白鹭分布于辽东半岛沿海海滩及周边低山区；苍鹭、草鹭、池鹭、大白鹭等分布于全省各地河流、湖泊、水塘、海岸等水域岸边及其浅水处；黄斑苇鳽、紫背苇鳽等多分布于全省水库和山脚边的芦苇丛、滩涂及沼泽湿地；黑鹳主要分布于鞍山、熊岳至双台河口一带，近期在朝阳市白石水库及其周边，发现有种群分布；黑脸琵鹭主要分布于沿海岛屿、滩涂，1999 年 7 月，在庄河石城岛首次发现黑脸琵鹭繁殖地，现已成立庄河石城岛黑脸琵鹭保护区，加以严格保护。

(5)雁形目：该目分布在辽宁省有 1 科 34 种。分布于全省各地沼泽、河流、库塘等处，以辽南、辽西分布为最广泛，是辽宁湿地中重要鸟类资源之一，全省调查时见到约 7 万多只。其中的大天鹅主要群栖于辽西、辽南库塘和沼泽地带。在迁徙季节，朝阳市白石水库湿地年约有 3000 余只，大连瓦房店三台湿地年约有 300 余只，北票大黑山省级自然保护区、沈阳卧龙湖省级自然保护区的河流、库塘周边也有种群分布。小天鹅、白额雁、赤麻鸭和红胸秋沙鸭等主要分布于辽南地区。豆雁、绿头鸭、斑嘴鸭、鸳鸯等在全省各地均有分布。

(6)隼形目：该目分布在我省湿地有 1 科 1 种，即鹗。主要栖息于辽宁沿海、河口、江河附近的广大沼泽地区以及沿岸岛屿，全省调查时见到约 100 多只。

(7)鹤形目：该目分布在我省有 2 科 16 种。主要分布于辽宁沿海附近沼泽中，在内陆湖泊、库塘、河流滩地也有分布，全省调查时见到约 2 万只。丹顶鹤主要分布于芦苇沼泽湿地中，盘锦市双台河口国家级自然保护区范围内生长着大面积的芦苇，是辽宁省的丹顶鹤最集中的分布区，也是丹顶鹤最南端的繁殖区；白鹤分布广泛，在全省各地湖泊、库塘沼泽中均有分布，双台河口、卧龙湖、獾子洞湿地是其主要分布区，其中仅卧龙湖湿地年迁徙有 2000 余只；白枕鹤、蓑羽鹤等主要分布于辽宁沿海附近沼泽。

(8)鸻形目：该目分布在我省有 10 科 72 种。鸻形目是辽宁湿地野生鸟类资源的重要组成部分，全省调查时见到约 7 万多只。鸻形目在生物分类学上是比较繁杂的类群，在辽宁湿地鸟类中主要包括鸻鹬类、鸥类两大类群。鸻鹬类涉禽主要分布于沿海海滨滩涂与附近沼泽中。辽宁鸭绿江口和双台河口保护区是其集中的分布地。据统计，全世界 40% 数量的斑尾塍鹬在鸭绿江口湿地停歇；灰斑鸻以小群在潮间带沿海滩涂及沙滩取食，栖息于池塘、水库、江河浅滩、河边沙滩和沼泽地带；环颈鸻、凤头麦鸡等栖息于河岸沙滩、沼泽草地。鸥类为海洋鸟类，主要分布于辽宁沿海滩涂和内陆沼泽、水域。黑嘴鸥在辽宁主要栖息于双台河口和鸭绿江口湿地区，其中双台河口湿地区是世界上黑嘴鸥种群数量最大的繁殖地，也是世界上黑嘴鸥分布最北的栖息地。遗鸥为国家Ⅰ级保护野生动物，分布区域较少，在辽宁沿海岸滩涂一带包括葫芦岛市打渔山、盘锦市双台河口等地区有发现。鸥嘴噪鸥、红嘴巨鸥、白额燕鸥、白翅浮鸥等栖居于全省沿海海岸沙滩及附近湖泊、河流、沼泽等内陆水域的沼泽及灌木丛中，包括盘锦、大连、丹东、锦州、葫芦岛、营口等沿海及近海地区。

(9)佛法僧目。佛法僧目在湿地分布有3科3种，为普通翠鸟、蓝翡翠、冠鱼狗。上述种类主要分布于沼泽、河流、水库周边。其中，冠鱼狗亦常见于溪流边，全省调查时见到约700多只。

3.3 湿地鸟类数量状况

根据本次调查及全省各保护区、野生动物保护部门同期监测数据，全省常见湿地鸟类中以鸭类为主，其次为雁类。辽宁省主要鸟类分布状况见表3-5。

表3-5 辽宁省湿地主要鸟类数量统计

序号	目	科	种	种群数量(只)	栖息环境	主要分布区域	保护等级
1	鹈形目	鸬鹚科	普通鸬鹚	11468	海域	长海县、盘锦	
2	鹳形目	鹭科	黄嘴白鹭	805	沿海、沼泽	辽东半岛	国家Ⅱ级
3	鹳形目	鹳科	东方白鹳	1126	水库、河流	辽东半岛	国家Ⅰ级
4	鹳形目	鹳科	黑鹳	28	峭壁、河流	辽南、辽西朝阳地区	国家Ⅰ级
5	鹳形目	鹮科	黑脸琵鹭	33	岛屿、滩涂	大连、盘锦	国家Ⅱ级
6	雁形目	鸭科	大天鹅	1710	沼泽、河流	辽南、辽西	国家Ⅱ级
7	雁形目	鸭科	小天鹅	141	沼泽、水库	辽南	国家Ⅱ级
8	雁形目	鸭科	鸿雁	4197	沼泽、河流	辽南、辽西	
9	雁形目	鸭科	豆雁	16043	沼泽、河流	全省各地	
10	雁形目	鸭科	白额雁	1429	沼泽、水库	辽南	国家Ⅱ级
11	雁形目	鸭科	赤麻鸭	4713	沼泽、水库	辽南	
12	雁形目	鸭科	翘鼻麻鸭	6115	沼泽、水库	辽南、盘锦繁殖	
13	雁形目	鸭科	针尾鸭	2695	沼泽、河流	辽南、辽西	
14	雁形目	鸭科	绿翅鸭	2849	水库、河流	全省各地	
15	雁形目	鸭科	花脸鸭	2364	沼泽、水库	辽东、辽西	
16	雁形目	鸭科	罗纹鸭	2670	沼泽、水库	辽南、辽西	
17	雁形目	鸭科	绿头鸭	3753	沼泽、河流	全省各地	
18	雁形目	鸭科	斑嘴鸭	4083	沼泽、河流	全省各地	

（续）

序号	目	科	种	种群数量(只)	栖息环境	主要分布区域	保护等级
19	雁形目	鸭科	赤颈鸭	4507	沼泽、水库	辽南、辽西	
20	雁形目	鸭科	白眉鸭	941	沼泽、水库	辽南、辽西	
21	雁形目	鸭科	琵嘴鸭	3355	沼泽、水库	辽南、辽西	
22	雁形目	鸭科	红头潜鸭	1259	水库、河流	辽南、辽西	
23	雁形目	鸭科	青头潜鸭	1653	水库、河流	辽东、辽西	
24	雁形目	鸭科	凤头潜鸭	790	水库、河流	辽南、辽西	
25	雁形目	鸭科	鸳鸯	891	沼泽、河流	全省各地	国家Ⅱ级
26	雁形目	鸭科	斑脸海番鸭	586	海域、水库	辽西	
27	雁形目	鸭科	鹊鸭	391	沼泽、河流	辽南、辽西	
28	雁形目	鸭科	红胸秋沙鸭	369	海域、河流	辽南	
29	雁形目	鸭科	普通秋沙鸭	2986	河流、水库	辽东、辽西	
30	鹤形目	鹤科	灰鹤	5833	沼泽、农田	辽南、辽西	国家Ⅱ级
31	鹤形目	鹤科	丹顶鹤	760	芦苇、沼泽	辽南、辽西、盘锦繁殖	国家Ⅰ级
32	鹤形目	鹤科	白头鹤	344	河流、水库	辽南、辽西	国家Ⅰ级
33	鹤形目	鹤科	白枕鹤	634	沼泽、河流	辽南、辽西	国家Ⅱ级
34	鹤形目	鹤科	白鹤	2807	沼泽、水库	沈阳、盘锦	国家Ⅰ级
35	鹤形目	鹤科	蓑羽鹤	516	沼泽、湖泊	辽南、辽西	国家Ⅱ级
36	鸻形目	鹬科	中杓鹬	267	海滨、河流	辽南、辽西	
37	鸻形目	鸥科	黑嘴鸥	5619	滩涂、沼泽	盘锦、东港	

3.4 鸟类栖息地及保护情况

根据辽宁省湿地鸟类地理分布特征、自然地理环境的地域差异和湿地类型的不同，全省湿地鸟类栖息地主要有3种类型，即沼泽湿地繁殖与迁徙、越冬栖息地；河流、湖泊、库塘湿地繁殖与迁徙、停歇栖息地；沿海、近海岛屿滨海滩涂湿地繁殖与迁徙、越冬栖息地。

3.4.1 鸟类栖息地分布

(1)沼泽湿地繁殖与迁徙、越冬栖息地：经本次调查，全省沼泽湿地面积达11.01万公顷。其中，从营口大辽河口至锦州大凌河口一线的辽河三角洲地区是沼泽湿地的集中分布区，面积为9.02万公顷，占总面积的81.93%。面积最大的双台河口湿地区，沼泽湿地为4.72万公顷，主要为芦苇沼泽。区域内繁茂的草丛和丰富的有机质基底，为迁徙、停歇鸟类提供了丰富的食物和隐蔽条件。湿地鸟类丰富，每年包括丹顶鹤、白头鹤、白鹤、东方白鹳、黑鹳以及鸥类、雁鸭类等数十万只水鸟在此栖息繁殖。据双台河口国家级自然保护区监测数据，每年丹顶鹤约有460多只(全世界共计约有2000多只)在该湿地停歇，有50余只在那里繁殖，是丹顶鹤自然繁殖地的最南端。同时该湿地还是珍禽黑嘴鸥在全球仅有的少数几处重要繁殖地之一。全世界黑嘴鸥约有10000多只，在双台河口栖息繁殖的约有5000多只，占该种世界总数的1/2。双台河口湿地是中国东部水禽迁徙的必经之地，也是越冬鸟类理想的繁殖、栖息场所，在国际湿地和生物多样性研究与保护方面拥有重要地位。

(2)河流、湖泊、库塘湿地繁殖与迁徙、停歇栖息地：辽宁省境内河网水系密布，湖泊与库塘星罗棋布。据本次调查，全省河流湿地面积25.15万公顷，湖泊湿地面积0.29万公顷，库塘湿地面积12.21万公顷，三类湿地合计面积37.65万公顷，占全省湿地总面积的26.99%。区域范围气候适宜、水量充足，形成大面积的浅滩沼泽，水生动植物生长量大，在不同的季节里，吸引着种类繁多、数量庞大的水禽群体来觅食、栖息。河流湿地中辽河水系的辽河、大辽河、太子河、浑河、绕阳河、大小凌河，鸭绿江水系的鸭绿江、浑江、富尔江、叆河，沿黄海、渤海诸河水系的六股河、狗河、碧流河、大洋河等干流，湖泊湿地中的沈阳卧龙湖湿地，库塘湿地中的大伙房水库、水丰水库、白石水库等25座大型水库均为鸟类的集中分布区。其中位于辽河、太子河、浑河汇流处的三岔河湿地、浑河辽阳段湿地、丹东双江河湿地、凤城蒲石河湿地、黑山绕阳河湿地等是雁类、鸭类等迁徙鸟类的重要停歇地；沈阳卧龙湖湿地是全省最大的内陆淡水湖泊湿地，面积0.65万公顷，以草鹭、凤头麦鸡、黑翅长脚鹬、斑嘴鸭等为优势种群，每年4~5月有几万只鸟类在那里栖息、觅食。

(3)沿海、近海岛屿滨海滩涂湿地繁殖与迁徙、越冬栖息地：辽宁省有着蜿蜒曲折的海岸线，滩涂宽阔，近海岸岛屿众多，水草丰茂，鱼、虾及贝类产品丰富，成为鸻鹬类、鸥类等湿地鸟类理想的繁殖、栖息、停歇与觅食地。其中的鸭绿江口湿地区沿黄海海岸从丹东鸭绿江口至大连庄河河口，湿地面积12.11万公顷，为国家重要湿地，海洋和海岸生态环境和周边内陆沼泽、水域生态环境兼备，鸟类资源十分丰富。每年4月初至5月中旬在此迁徙、栖息的鸟类数量达上百万只，是东亚到澳大利亚迁飞涉禽的最北停歇地。据调查，全世界40%数量的斑尾塍鹬会利用鸭绿江口湿地停歇。近两年的卫星跟踪显示，在新西兰越冬的斑尾塍鹬会用七八天的时间飞越太平洋直达鸭绿江口，出发时积累的脂肪由于数千公里的连续飞行消耗殆尽，在这里可得到充分的休息和补充食物。这些向北迁徙的鸟类经过约1个月的休整、补充后，继续北上到俄罗斯西伯利亚和美国的阿拉斯加繁殖地去繁育后代。

3.4.2 栖息地保护状况

3.4.2.1 湿地自然保护区、保护小区、湿地公园建设

湿地自然保护区、保护小区、湿地公园的建设，是开展湿地鸟类栖息地保护的重要手段，是有效保护湿地资源的重要措施。2010年全省湿地资源调查时，辽宁省已经成立各个级别湿地自然保护区29个(其中国家级保护区5个、省级保护区7个、市级保护区11个、县级保护区6个)，保护小区3个，湿地公园5个(其中国家级湿地公园1个、地方级湿地公园4个)(表3-6)。在自然保护区中主管部门为林业的16个，为环保、渔业、水利、城建等其他部门的13个。全省湿地自然保护区、保护小区、湿地公园保护湿地总面积45.04万公顷，占总湿地面积的32.29%。其中湿地自然保护区面积44.67万公顷，保护小区面积0.09万公顷，湿地公园面积0.28万公顷。截至目前，全省已建立湿地保护区30处，湿地公园25处。全省近1/3湿地面积得到保护，极大地促进了栖息地功能的有效发挥。

表 3-6 辽宁省湿地自然保护区、保护小区、湿地公园概况

序号	名 称	级别	湿地面积(公顷)	建立时间	主管部门
1	辽宁大连斑海豹国家级自然保护区	国家级	71593.46	1992	大连市海洋与渔业局
2	辽宁双台河口国家级自然保护区	国家级	105211.62	1985	盘锦市人民政府
3	丹东鸭绿江口湿地国家级自然保护区	国家级	121372.63	1987	丹东市环境保护局
4	辽宁蛇岛老铁山国家级自然保护区	国家级	705.98	1980.8	大连市环境保护局
5	辽宁仙人洞国家级自然保护区	国家级	155.05	1981.9	大连市林业局
6	沈阳卧龙湖省级自然保护区	省级	6457.79	2001.5	康平县人民政府
7	鞍山大麦科省级自然保护区	省级	2710.09	2002.8	台安县林业局
8	辽宁大伙房饮用水源保护区	省级	6185.05	1990.4	辽宁省水利厅
9	辽宁章古台省级自然保护区	省级	338.72	1986.12	彰武县林业局
10	朝阳小凌河中华鳖省级自然保护区	省级	1496.88	1999.11	朝阳县水务局
11	凌源青龙河省级自然保护区	省级	1302.45	2001.3	凌源市人民政府
12	铁岭凡河省级自然保护区	省级	1456.05	2009	铁岭市林业局
13	沈阳仙子湖市级自然保护区	市级	4433.13	2002.6	辽中县林业局
14	丹东红铜沟鹭鸟市级自然保护区	市级	35.94	2000	宽甸县林业局
15	丹东双江河市级自然保护区	市级	2726.3	2000	宽甸县林业局
16	凤城蒲石河市级自然保护区	市级	13.15	2001.9	凤城市林业局
17	丹东玉龙湖市级自然保护区	市级	742.6	2001.9	凤城市林业局
18	黑山绕阳河湿地市级自然保护区	市级	3569.1	2006	黑山县林业局
19	锦州凌河口湿地市级自然保护区	市级	93082.15	2004	凌海市林业局
20	辽阳汤河水库水源保护区	市级	2993.89	1986.9	辽宁省水利厅
21	辽阳双河市级自然保护区	市级	3234.61	2002.4	辽宁省水利厅
22	辽宁王宝河市级自然保护区	市级	281.57	1996.1	绥中县人民政府
23	葫芦岛六股河入海口滨海湿地市级自然保护区	市级	1011.32	2006	葫芦岛市林业局
24	海城三岔河县级自然保护区	县级	13888.93	2004	海城市林业局
25	彰武县那木斯莱县级自然保护区	县级	102.3	1987.4	彰武县环境保护局
26	昌图县红山水库水源县级自然保护区	县级	196.82	1993	昌图县水利局
27	朝阳苍鹭县级自然保护区	县级	30.36	2000.11	朝阳县林业局
28	建昌宫山嘴苍鹭县级自然保护区	县级	588.12	2002.12	建昌县林业局
29	建昌六股河赤麻鸭、绿翅鸭县级自然保护区	县级	861.53	2001	建昌县林业局
30	彰武县阿尔乡湿地保护小区	县级	615.63	2000	彰武县林业局
31	铁岭县鸶鹭湿地生态保护小区	县级	95.56	2008	铁岭县林业局
32	铁岭县吊龙湾湿地保护小区	县级	152.82	2008	铁岭县林业局
33	辽宁铁岭莲花湖国家湿地公园	国家级	880.17	2007.4	铁岭市林业局
34	沈阳市丁香湖湿地公园	市级	235.49	2005	于洪区人民政府

（续）

序号	名 称	级别	湿地面积(公顷)	建立时间	主管部门
35	营口西炮台湿地公园	市级	127.1	2008	营口市高新区委员会
36	盘锦辽河湿地公园	市级	427.13	2007.9	盘锦市城市建设管理局
37	辽河湿地森林公园	省级	1124.1	2004.8	辽宁省监狱管理局
总 计			450435.59		

注：统计时间截至2010年年末。

3.4.2.2 法律、法规和政策、制度建设

为保护湿地鸟类栖息地，辽宁省相继出台与发布了多项地方法规和政策、制度，包括《辽宁省湿地保护条例》、《辽宁省林业厅关于加强鸟类管理的紧急通知》(辽林办字[1999]177号)、《辽宁省人民政府关于进一步加强全省湿地保护工作的通知》(辽政办发[2002]91号)、《辽宁省政府办公厅关于进一步加强全省野生动植物保护管理工作的通知》(辽政办发[2001]88号)等。其中，2007年10月1日颁布实施的《辽宁省湿地保护条例》，是全省开展湿地保护与管理所遵循的基本法规，在其第十八条中明确规定"在湿地从事生产经营或者生态旅游活动，禁止破坏野生动物栖息环境和野生植物生长环境"。第二十八条规定"破坏候鸟主要繁殖、栖息湿地的，责令限期恢复原状"。《辽宁省林业厅关于加强鸟类管理的紧急通知》提出"各地要加强对鸟类迁徙主要停歇地、栖息地和越冬地的管护。特别是丹东、大连、营口、锦州、盘锦、葫芦岛等沿海市，要在鸟类迁徙季节，派出专人，强化管理"。《辽宁省人民政府关于进一步加强全省湿地保护工作的通知》、《辽宁省政府办公厅关于进一步加强全省野生动植物保护管理工作的通知》也对湿地鸟类栖息地保护做出明确要求。法律、法规、政策和制度的颁布、实施，为湿地鸟类栖息地的保护提供了重要保障。

2005年，辽宁省开展水上鸟类安全教育活动，针对部分珍稀鸟类，建立了警示标志，引导人们爱鸟、护鸟，为鸟类提供可靠的生存环境；2009年3月20日开始，辽宁在全省范围内开展为期两个月的保护野生鸟类资源专项执法行动。此次专项执法行动的重点为依法打击非法猎捕、出售、收购及食用野生鸟类的违法行为，一经查获将依法严惩。根据《关于辽宁省海洋与渔业厅、辽宁省公安厅、大连海关、沈阳海关开展打击非法捕捉走私经营利用水生野生动物专项执法行为方案》部署，为进一步加强珍稀濒危水生野生动物保护，规范特许利用管理，严厉打击非法捕捉走私和经营利用水生野生动物的违法犯罪行为，2010年以来，辽宁渔政联合海关、公安等部门，对各地区港口、码头、公园、养殖场、酒店、集贸市场等重点场所进行了全面检查。

3.4.2.3 污染治理、湿地恢复等保护工程建设

近年来，由于对湿地的违法侵占，工农业生产废水的任意排放等，使鸟类栖息地生态质量和功能受到严重的破坏，湿地鸟类的栖息繁衍受到严重影响。面对严峻形势，辽宁省各级湿地主管部门相继开展污染治理、湿地生态恢复等抢救性保护工程建设，使不利局面得到一定的缓解。新近成立的辽宁省辽河保护区依照省委、省政府的指示精神，围绕根治辽河、彻底恢复辽河生态的总体目标，实施全面的湿地生态恢复，使全省内陆最大的湿地鸟类栖息地得到有效治理。全省最大的内陆湖泊栖息地沈阳卧龙湖湿地，2002～2004年被严重破坏后，从2006年起开展湿地生态恢复工程，至2009年，湿地生态系统得到全面恢复，再现了水草丰茂、万鸟群飞的场面。辽宁省是老工业基地，重化工业比重大，污染负荷比较重，这对湿地鸟类栖息地环境质量带来沉重压力。2007年开始实施《辽宁省重点区域行业环境整治三年行动计划》，通过在17个区域、7个行业实施环境综合整治工程，削减污染物排放总量，改善重点流域、区域环境质量，当年即取得显著成效。辽河流域新建成污水处理厂5座，日新增处理能力14万吨。浑河、太子河治理成效明显，全河段化学需氧量(COD)浓度基本达到Ⅳ类水质标准。各保护工程建设，使全省野生动物及鸟类栖息地环境有了较大幅度改善。

4 湿地两栖类、爬行类、哺乳类及鱼类

4.1 湿地两栖类种类及分布

4.1.1 种 类

辽宁省湿地自然分布的两栖动物共15种，分属有尾目和无尾目，共6科。其中无尾目有5科12种，铃蟾科1种、蟾蜍科4种、蛙科5种、姬蛙科1种、雨蛙科1种；有尾目种类有小鲵科1科3种。

4.1.2 分 布

无尾目在现代两栖动物中所占比例最大，也是两栖动物中唯一分布最为广泛的一类。辽宁省蟾蜍科有4种，铃蟾科东方铃蟾主要分布在辽宁东部本溪桓仁，以及大连市部分山区；中华蟾蜍和大蟾蜍在全省广泛分布；花背蟾蜍主要分布于辽宁南部、西北部地区的沈阳、营口、阜新等地，在辽宁本溪也有少量分布；史氏蟾蜍主要分布在辽宁东部抚顺、本溪、丹东三市。蛙科中黑斑蛙在全省各地较为常见。姬蛙科北方狭口蛙主要分布于辽宁东部湿地，以桓仁县为主要分布区。雨蛙科无斑雨蛙主要分布于辽北的康平、西丰、昌图、开原等地，在丹东有少量分布。

有尾目东北小鲵主要分布在辽东沟谷溪流中；极北鲵主要分布在辽北昌图、康平等地；爪鲵主要分布在辽宁的岫岩县。

4.2 湿地爬行动物种类及分布

辽宁省湿地爬行动物共1种，隶属于1目1科，即龟鳖目鳖科的鳖。

鳖又名中华鳖，在省内分布较为广泛，栖息于河流、湖沼、池塘、水库等水流平缓、鱼虾繁生的淡水水域。辽宁朝阳小凌河是中华鳖的集中分布区，小凌河水量充足，水质良好，为中华鳖栖息、繁殖提供了良好环境。省政府以辽政[1999]年240号批复建立了朝阳小凌河中华鳖省级自然保护区，保护区实行属地化管理。2000年，朝阳县成立保护区管理处，对小凌河中华鳖种质资源进行保护。

4.3 湿地哺乳类种类及分布

辽宁省湿地哺乳动物仅包含2种，分别为鳍足目海豹科的斑海豹和鲸目鼠海豚科的江豚。

斑海豹是在温带、寒温带的沿海和海岸生活的海洋性哺乳类动物，分布区主要在北太平洋的海域及其沿岸和岛屿，如楚科奇海、白令海、鄂霍茨克海、日本海和朝鲜海等。它在我国主要分布于渤海和黄海，偶见于南海，在辽宁省省内主要分布于渤海辽东湾。辽东湾是斑海豹在西太平

洋最南端的一个繁殖区，也是我国海域唯一的繁殖区。1992 年，经大连市人民政府批准建立斑海豹市级自然保护区，1997 年晋升为国家级，主要保护对象为斑海豹及其生存环境。分布于我省的斑海豹大约有 1500 余只。

江豚通常栖于咸淡水交界的水域，也能在大小河川的下游地带等淡水中生活。在我国主要见于渤海、黄海、东海、南海和长江等水域。辽宁省江豚总量在 100 只左右。江豚的迁移是随着洄游的鱼、虾类进行的。旅顺老铁山附近水流急，有些底层鱼类冬季在此滞留，老铁山水道还是渤海海峡的主要水道，是鱼、虾洄游的必经之路。因此，在此地区终年可见江豚，在3~4 月或 9~11 月江豚集中，形成旺季。4~5 月有些鱼类经过老铁山沿瓦房店、盖州洄游进入辽东湾，在 5 月中旬到达辽东湾，5 月下旬至 6 月进入产卵期。江豚为追逐食物，4~5 月进入辽东湾，6~8 月在盘锦、锦州附近最多，9 月以后渐少。

4.4 湿地鱼类

4.4.1 种 类

辽宁省具有漫长的海岸线，河流纵横，库塘密布，海洋和淡水鱼类资源十分丰富。辽宁湿地鱼类有 237 种，隶属于 27 目 98 科。硬骨鱼类为主要组成部分，包括 209 种，隶属 18 目 80 科，占总种数的 88.19%。其中以鲈形目种类最多，含 36 科 77 种；其次为鲤形目，含 2 科 46 种；种类最少的是灯笼鱼目、合鳃鱼目、银汉鱼目、鲟形目、鳉形目 5 目，仅含 1 科 1 种。软骨鱼类 28 种，有 9 目 18 科，占总种数的 11.81%。软骨鱼纲的种类包括鲼形目 3 科 6 种，鳐形目 3 科 5 种，真鲨目 4 科 8 种，角鲨目 1 科 2 种，鲭鲨目 3 科 3 种，六鳃鲨目 1 科 1 种，银鲛目 1 科 1 种，电鳐目 1 科 1 种，扁鲨目 1 科 1 种。

4.4.2 分 布

辽宁省的鱼类按所栖息的水体盐度可分为海洋和淡水鱼类 2 类。

4.4.2.1 近海海洋鱼类

海洋鱼类 172 种。全省近海湿地鱼类分布于沿渤海与黄海海岸近海。

渤海为我国内海，是海洋主要渔业种类的重要产卵场与索饵场，也是我国海洋渔业生产的重要渔场。渤海鱼类区系为温水性，偏于暖温性，常见种类有皱唇鲨、中国团扇鳐、青鳞鱼、孔鳐、凤鲚、长蛇鲻、黑鲷、真鲷、黄姑鱼、褐牙鲆、刀鲚、小黄鱼、黄鮟鱇、细条天竺鱼等；冷水鱼类主要有尖海龙、高眼鲽、圆斑星鲽、钝吻黄盖鲽等。

黄海近岸水域有鸭绿江、大洋河、英那河、庄河、碧流河等河流注入，带来大量的营养物质。水质条件良好，饵料生物丰富，因此许多鱼类在这里产卵、索饵、育幼，是鱼类重要的栖息地。黄海地处暖温带，渔业生物种类也具有明显的暖温带特点，常见种类包括斑鰶、鳀、赤鼻棱鳀、黄鲫、六丝矛尾虾虎鱼、蓝点马鲛、条纹东方鲀、星点东方鲀、银鲳、带鱼、木叶鲽、黄条鰤等；冷水鱼类种类较少，主要包括方氏云鳚、玉筋鱼等。

4.4.2.2 淡水鱼类

辽宁省境内有大小河流 441 条。除河流外，有供淡水养殖面积 12.50 万公顷，其中库塘 12.21 万公顷，湖泊面积 0.29 万公顷。现湿地淡水鱼类 65 种，主要人工养殖种类有鲤鱼、鲢鱼、鲫鱼、草鱼、青鱼、鳙鱼、罗非鱼、虹鳟鱼、泥鳅等。

第四章 湿地资源利用方式

第一节 湿地资源利用方式及其利用现状

湿地资源是由水、土壤、生物等环境要素形成的综合体，是自然环境的重要组成部分。湿地资源具有多重属性，按照湿地的利用方式不同，可将其划分为土地资源、水资源、生物资源、景观资源及其他资源等。

1 湿地资源利用方式

1.1 土地资源

当前，辽宁省湿地土地资源作为后备土地资源，利用方式主要为种植、养殖和成为工矿生产用地，表现为以下几种形式：一是近海与海岸滩涂的综合利用，围垦为水产养殖场、盐田等或直接征占为工业生产设施用地。截至2013年年末，淤泥质滩涂围垦用于水产养殖场和盐田的面积为0.31万公顷；各类工矿企业、交通、水电等占用滩涂面积为0.27万公顷。二是湖泊、水库、河流湿地的淹没地及部分沼泽湿地被开垦为水稻田。据调查，该种湿地土地利用方式在全省各湿地区均有不同程度存在。1987~1997年的10年间，盘锦市大洼县小三角洲农业综合开发围垦面积达到1万多公顷，大部分开垦为水稻田。三是填海造地，主要用于工业生产设施用地。据调查，辽宁省填海造地工程主要集中在2005~2007年，主要位于辽宁省海洋区划中的港口航运区及工程用海区。用途也都集中在"五点一线"沿海经济带中重点支持发展的产业园区，用来发展港口、临港工业园区、船舶制造业等。据数据统计，沿海经济带内园区规划总规模合计达到13.37万公顷，其中填海造地面积1.18万公顷，占规划总规模的9.50%。

湿地土地资源的合理开发和利用，会为城市社会经济的发展带来巨大的推动力。但是在开发进程中，如果不能处理好发展与环境的关系，不可避免地会给陆地、海洋的生物资源及生态环境带来负面影响。近年来，随着国家、省退耕还湿工程的大力实施，特别是《辽宁省湿地保护条例》《辽宁省辽河保护区条例》《辽宁省凌河保护区条例》等法规的相继出台，湿地土地资源保护纳入了法制轨道，违法、违规围垦占用湿地土地资源行为得到基本遏制。

1.2　水资源

湿地水资源是人类生存和社会发展不可缺少的生态要素，是工业用水、农业用水、城市生活用水和生态环境用水的主要来源，也是湿地的基本特征之一。辽宁省湿地水资源的利用主要为湖泊、水库、河流湿地的淡水资源；浅海水域水资源利用主要应用于沿黄、渤海沿岸水产养殖业与晒盐业；在沿海地区还利用海水实施淡化工程。湿地水资源利用指标包括供水量、用水量及耗水量，涵盖了各行业及生态环境需水的水资源利用程度。

1.2.1　供水量

供水量指各种水源工程为用户提供的包括输水损失在内的毛供水量。2009 年，全省总供水量 144.56 亿立方米，比上年多 0.89 亿立方米。其中地表水供水量 76.66 亿立方米，占总供水量的 53.0%；地下水供水量 64.33 亿立方米，占总供水量的 44.5%；其他水源供水 3.57 亿立方米，占总供水量 2.5%。在地表水供水量中，蓄水工程供水量 37.82 亿立方米，引水工程供水量 11.16 亿立方米，提水工程供水量 27.68 亿立方米，分别占地表水供水量的 49.3%、14.6% 和 36.1%。在地下水源供水量中，浅层地下水供水量 63.67 亿立方米，深层地下水供水量 0.64 亿立方米，微咸地下水供水量 0.02 亿立方米。在其他水源供水量中污水处理回用 3.46 亿立方米，海水淡化 0.11 亿立方米(表 4-1)。

表 4-1　各供水工程供水量统计(亿立方米)

供水源 / 供水工程	总供水量	地表水	地下水	其他水源供水
	144.56	76.66	64.33	3.57
蓄水工程	37.82	37.82		
引水工程	11.16	11.16		
提水工程	27.68	27.68		
浅层地下水	63.67		63.67	
深层地下水	0.64		0.64	
微咸地下水	0.02		0.02	
污水处理回用	3.46			3.46
海水淡化	0.11			0.11

1.2.2　用水量

用水量指各类用户取用的包括输水损失在内的毛用水量。2009 年，全省总用水量 144.56 亿立方米，比上年多 0.89 亿立方米。其中农田灌溉用水量 85.43 亿立方米，占总用水量的 59.1%；林、牧、渔、畜用水量 7.90 亿立方米，占总用水量的 5.5%；工业用水量 24.02 亿立方米，占总用水量的 16.6%；城镇公共用水量 6.68 亿立方米，占总用水量的 4.6%；城乡居民生活用水量 15.66 亿立方米，占总用水量的 10.8%；生态环境用水量 4.87 亿立方米，占总用水量的 3.4%(表 4-2)。

表 4-2　全省用水项目统计

	全省用水	农田灌溉	林、牧、渔、畜	工业	城镇公共	城乡居民生活	生态环境
用水量(亿立方米)	144.56	85.43	7.90	24.02	6.68	15.66	4.87
所占比例(%)	100.0	59.10	5.50	16.60	4.60	10.80	3.40

1.2.3　耗水量

耗水量指在输水、用水过程中，通过蒸腾蒸发、土壤吸收、产品吸附、居民和牲畜饮用等多种途径消耗掉，而不能回归到地表水体或地下饱和含水层的水量。2009 年，全省实际总耗水量 92.27 亿立方米，综合耗水率 64%。其中农田灌溉耗水量 62.64 亿立方米，是耗水大头，耗水率 73%；林、牧、渔、畜耗水量 6.98 亿立方米，耗水率 88%；工业耗水量 9.11 亿立方米，耗水率 38%；城镇公共耗水量 2.95 亿立方米，耗水率 44%；城镇居民生活耗水量 2.76 亿立方米，耗水率 26%；农村居民生活耗水量 4.51 亿立方米，耗水率 93%；生态与环境耗水量 3.32 亿立方米，耗水率 68%(表 4-3)。

表 4-3　全省耗水量统计

	全省用水	农田灌溉	林牧渔畜	工业	城镇公共	城乡居民生活	生态环境
用水量(亿立方米)	144.56	85.43	7.90	24.02	6.68	15.66	4.87
耗水量(亿立方米)	92.27	62.64	6.98	9.11	2.95	7.27	3.32
耗水所占比例(%)	63.83	73.32	88.35	37.93	44.16	46.42	68.17

近年来，全省强力推进湿地水资源管理，相继出台多部地方法规、省政府规章、规范性文件等，从法规政策层面规范地下水管理、行政许可、水质保护等行为。仅 2009 年，全省关停、封闭地下水取水井 636 眼，减采地下水 1.45 亿立方米，完成了 16 个节水型社会建设示范项目。省政府批复了《辽宁省区域经济可持续发展水资源配置规划》，出台了《关于实行最严格水资源管理制度的意见》等，为强化湿地水资源保护和合理利用，提供了政策保障。

1.3　生物资源

辽宁省动物区系处于东北、华北和蒙新 3 个动物地理分布区系的交汇地带，而植物区系处于华北、长白、内蒙古 3 个植物区系的交汇地带，由于地理位置的特殊性，决定了辽宁丰富的生物多样性。据调查，全省湿地内高等野生植物共 402 种，隶属于 82 科 237 属，以湿地为主要生境的脊椎动物共 412 种，隶属于 5 纲 41 目 130 科，湿地野生生物资源拥有广阔的分布空间和众多的种群数量，是全省人民生活、工农业生产和经济社会可持续发展的重要物质基础。

1.3.1　湿地野生植物资源利用现状

依据湿地植物所发挥价值不同，辽宁省湿地植物主要利用方式包括经济用途、园林绿化及人工湿地污染防治等多个方面。

1.3.1.1　经济用途

辽宁省湿地野生植物除发挥重要的生态功能外，许多具有重要的经济价值，并得到广泛应用。其中主要利用方式为药用、造纸业和提供饲料；其他还包括在湿地植物中提取鞣质、糖类和油类等，为工业生产提供重要原材料。

(1)药用植物：湿地药用植物是传统中医药重要的种质资源库。辽宁省湿地药用植物有259种，隶属于71科178属，主要包括问荆、木贼、荨麻、二色补血草、五味子、防风、黄连花、紫苏、益母草等。

(2)纤维植物：湿地纤维植物是纺织、造纸的重要原料。辽宁省湿地纤维植物有19种，隶属于10科14属，在辽宁省分布较为广泛，主要包括芦苇、荨麻、灯心草、拂子茅、萤蔺等。

(3)饲料植物：饲料植物在湿地中分布最为广泛。辽宁省湿地饲料植物包括110种，隶属于23科71属，主要集中在禾本科、豆科、苋科及蓼科等。其中，面积较大、开发利用价值较高的湿地饲料植物包括各类薹草、各类莎草、各类蓼、狗尾草等。

(4)鞣料植物：鞣料植物中含有鞣质(单宁)，是重要的工业原料。辽宁省湿地鞣料植物包括4种，隶属于3科3属，为巴天酸模、荨麻、榛子、委陵菜。

(5)淀粉和糖料植物：该类植物可提取淀粉和糖类，是制造淀粉、酿酒的主要原料。辽宁省湿地淀粉和糖料植物包括3种，隶属于3科3属，为卷丹、花蔺、榛子。

(6)芳香植物：芳香植物可提取物芳香油，是生产香精和香料的主要原料。辽宁省湿地芳香植物包括8种，隶属于5科6属，其中主要有刺槐、胡枝子、茴香等。

(7)油料植物：植物油是人们日常生活中不可或缺的营养物质，也是食品、医药、油漆生产与制造的重要原料。辽宁省油料植物包括44种，隶属于16科40属，其中主要包括野大豆、五味子等(表4-4)。

表4-4　辽宁省湿地野生植物资源利用情况

分　类	科	属	种
药用植物	71	178	259
纤维植物	10	14	19
饲料植物	23	71	110
鞣料植物	3	3	4
淀粉和糖料植物	3	3	3
芳香植物	5	6	8
油料植物	16	40	44

在当前，辽宁省湿地经济植物利用尚处于初级阶段，除芦苇利用外，其他均未形成一定的生产力。在我国的造纸原料中，芦苇占26%以上。芦苇茎秆中的纤维素可达51.78%，与木材的纤维素含量近似，利用芦苇能够造出优质的凸版印刷纸以及其他类纸张。芦苇是辽宁面积最大、分布最为广泛的湿地沼泽植物，利用芦苇造纸具有资源优势。双台河口湿地区是辽宁省最大的芦苇分布区，年产芦苇50万吨以上，占全省芦苇总量的50%以上，主要应用于造纸业。目前芦苇的经营处于传统的粗放型经营管理阶段，还有待于加大科技含量和集约经营，有效提高芦苇单位产量和产值。

1.3.1.2 园林绿化

湿地植物能够给人一种清新、舒畅的感觉，创造出一种休闲的自然景观，被普遍应用于辽宁省园林绿化水景景观工程建设中。目前应用较多的湿地植物种类主要包括慈姑、水葱、千屈菜、香蒲、菖蒲、荇菜等。

1.3.1.3 人工湿地污染防治

人工湿地是一种新型的污水处理模式，其设计和建造是通过对湿地生态系统中的物理、化学和生物作用的优化组合，实现污水的资源化和无害化。湿地植物是人工湿地的核心，通过科学配置，不但可以去除污染物，同时可以促进污水中营养物质的循环和再利用，促进区域生态环境的良性循环。依据湿地植物对污染物的富集能力，当前人工湿地主要植物种类的选择包括：

（1）对 TN、TP、TK 具有富集能力的湿地植物，如芦苇、菖蒲、鸢尾、水葱、水芹、水麦冬、灯心草、泽泻、浮萍、荇菜、金鱼藻等。

（2）对 Zn、Cd、Pb、Cu、Mn、Fe 等重金属元素具有富集能力的湿地植物，如菰、芦苇、马唐、水莎草、扁秆藨草等。

1.3.2 湿地野生动物资源利用

据调查，全省湿地野生脊椎动物共 130 科 412 种，以湿地鸟类、鱼类为主。其中鸟类 157 种，占 38.11%；鱼类 237 种，占 57.52%。其他包括两栖类、爬行类、哺乳类等，种类及数量均较少，3 类合计占湿地动物种类的 4.37%。其中，哺乳类 2 种，两栖类 15 种，爬行类仅 1 种。湿地野生动物资源的利用，以鱼类作为人类的食物资源为主要利用形式；其他包括制药业及鸟类观赏业。

库塘、河流、湖泊等淡水湿地和沿海湿地是鱼类资源的生存场所，而鱼类是人类重要的蛋白质食品来源。辽宁省濒临渤海、黄海，海岸线东起鸭绿江口，西至绥中县老龙头，全长 2920 公里。同时内陆河流湿地面积 15.20 万公顷，可供渔业利用的库塘等淡水水面面积 12.50 万公顷，由此可见辽宁省渔业发展的自然资源十分优越。2009 年，辽宁省水产品总产量 534.7 万吨，比 2008 年增长 8.1%。其中，淡水产品产量 96.8 万吨，增长 16.2%；海洋捕捞 148.3 万吨，增长 0.3%；海水养殖 289.6 万吨，增长 9.8%。

制药业主要是对湿地两栖类蟾蜍科各种动物的利用。在辽宁，以中华大蟾蜍利用为主。中华大蟾蜍其耳后腺与皮肤腺分泌的白色浆液，经收集加工可制成蟾酥，对解毒消痈、辟恶通窍、疗疳止痛等症，均有较好的医学疗效。驰名中外的“六神丸”“蟾酥丸”“梅花点舌丹”等常用中成药，均以蟾酥为主要原料之一。近年来发现，蟾酥对组织培养的癌细胞、动物肿瘤模型有抑制作用，临床应用也有不同程度的抗癌作用。中华大蟾蜍目前在沈阳、丹东、营口等地均有人工养殖，经济效益可观。

湿地鸟类资源利用主要以观赏、科普教育为主。每年迁徙季节，辽宁多地举办大型观鸟节，吸引国内外大批游客观光、游览。辽宁省鸭绿江口湿地观鸟节最为隆重，自 2006 年首次举办以来，得到了社会各界广泛好评，每年 4 月末，盛大的观鸟节都会吸引众多鸟类研究专家、观鸟爱好者、游客来丹东东港观鸟、赏鸟。其间举办了国际大学生观鸟大赛、生态和谐与区域经济发展论坛、世界最佳观鸟地文化沙龙、鸟乐园摄影大赛及摄影展、鸟类主题展览会、青少年公益爱鸟环保系列活动、健康徒步观鸟行等相关活动。观鸟节的举办对整合区域旅游资源和生态资源，提高开放度和知名度，塑造对外良好形象，唤起人们对生态环境的保护意识，促进经济与环境的协调发展起到了重要作用。

1.4　景观资源

辽宁湿地类型多样、分布广泛，野生动植物资源丰富，优美的湿地景观资源为开展湿地生态旅游奠定了良好基础。湿地景观资源涵盖全省全部湿地类型，包括近海与海岸湿地、河流湿地、湖泊湿地、沼泽湿地和人工湿地5大湿地类。因辽宁具有漫长的海岸线、密集的河流水系、众多的湖泊、水库，使辽宁成为全国湿地旅游资源丰富的省份之一。独特的景观、优美的环境、观赏价值极高的野生动植物，为人们观鸟、赏花、荡舟、垂钓等提供了机会。湿地成为休闲、观光、娱乐的绝佳场所。依托优美湿地资源，全省成立了湿地公园5处，包括辽宁莲花湖国家湿地公园、辽河湿地森林公园、营口西炮台湿地公园、沈阳市丁香湖湿地公园、辽河湿地公园。另外，依托湿地资源景观，全省还建立了风景名胜区22处，在为人们提供休闲旅游场所的同时，也让人们感受到浓郁的湿地文化(表4-5)。

表4-5　辽宁省湿地公园一览

序号	名　称	级　别	公园面积（公顷）	湿地面积（公顷）	主要湿地类型	批建时间	主管部门
1	辽宁铁岭莲花湖国家湿地公园	国家级	2442.4	880	人工湿地	2007.4.16	铁岭市林业局
2	辽河湿地森林公园	省级	1124	1124	河流湿地	2004.8.1	辽宁省监狱管理局
3	营口西炮台湿地公园	地方级	127	127	沼泽湿地	2007.11.2	营口市高新技术产业开发区管委会
4	沈阳市丁香湖湿地公园	地方级	300	235.49	河流湿地	2005	于洪区政府
5	辽河湿地公园	地方级	427	427	河流湿地	2007	盘锦市城市建设管理局
总　计			4420.4	2793.49			

注：统计时间截至2010年末。

1.5　其他资源

辽宁湿地其他可利用资源包括海盐场及沼泽湿地泥炭利用。利用滩涂湿地进行盐业生产是制盐工业的重点。辽宁渤海和黄海沿海湿地区域是中国重要的海盐生产基地。辽宁盐场是中国四大盐场之一。据2009年统计数据，海盐年产量达到184.19万吨，海盐产业的发展带动了盐化工业的发展。泥炭又叫草炭、泥煤，是湿地沼泽环境特有的产物。辽宁省湿地沼泽泥炭主要分布在辽宁东部地区的新宾、清原、桓仁及辽宁西部地区的彰武、黑山等地。辽宁省湿地的沼泽泥炭为富营养型草本类型，纤维含量、有机质和矿物质成分比较丰富，适宜制造营养土、营养钵。辽宁新宾县泥炭大量配置为营养土，提供给设施农业种菜、养花、育苗等，且为沈阳、大连等大中城市提供草坪土，作为足球场、高尔夫球场的绿化原料。这也是辽宁省湿地泥炭的主要利用形式。

2 湿地资源利用方面存在的主要问题

2.1 湿地资源存在不合理利用、管理权分散

湿地资源，它不仅是任何物质生产不可替代的生产资料，也是湿地野生动植物等生存和必需的物质条件。实现湿地资源可持续利用，必须解决好开发与保护的问题。以牺牲湿地资源数量为代价的掠夺性开发，必将对湿地资源的可持续利用带来严重影响。当前，先占后批，少批多占，甚至违规、违法侵占湿地的现象均有不同程度的发生。近年来，随着经济的快速发展，针对湿地进行的商业性开发、填海造地、围湿造田(鱼塘)等行为造成野生动植物栖息地不断萎缩，严重制约湿地生态系统物质循环与能量流动过程，导致湿地生物多样性降低，湿地生态功能退化。

由于湿地具有包含和涉及多种资源的属性，因此湿地的行政管理、开发利用也涉及多个部门，在辽宁主要包括林业、水利、海洋、城建、环保、渔业等。虽然《辽宁省湿地保护条例》规定“由林业部门负责组织、协调本行政区域内的湿地保护工作”，并对各湿地类型按资源属性予以了分工。但在实际工作中，由于受利益驱使，导致不同行政管理部门从本部门权利、利益出发，政出多门，争管湿地，出现问题后互相推诿的现象时有发生，不利于湿地的统筹管理，加剧了湿地土地资源的无序化程度。

2.2 水资源不合理利用、污染严重

湿地水资源的不合理利用，使生态环境用水得不到保证，引发许多生态问题。因过度从湿地取水，使辽宁省中西部地区湿地水文受到威胁。盘锦市由于近年来天然降水的减少，境内水资源短缺。现有的 8 万公顷芦苇湿地，在芦苇的生长期需要“三排三灌”才能满足其正常生长，每年需淡水约 7 亿立方米。由于水资源短缺，只能在春季水田灌溉前调度约 3 亿立方米的春汛水和潮水进行一次灌溉，淡水缺口达 4 亿立方米，严重影响芦苇的生长。此外，辽河上游地区水资源开发利用程度偏高，用水量大，也加剧了双台河口淡水资源的短缺程度。加之周边地区大面积水稻田灌溉用水，使湿地生态用水紧张，每年需从白石水库调水维持湿地生物资源的正常生长。沈阳浑河湿地、辽阳太子河湿地、凌海市大小凌河湿地因集中过量开采地下水，已造成沈阳、辽阳首山出现了大面积地下水位降落漏斗。辽宁沿海地区也因地下水的过量开采而造成海水倒灌侵入，其中最严重的为大连、营口至大小凌河口和葫芦岛地区。由于水资源的短缺、上游的无计划拦水灌溉，造成下游河道缺水断流。水资源的不合理利用，阻碍着湿地健康发展。

辽宁省近年来全力加强水环境污染的治理力度，取得一定成效，但水环境形势仍存在较大问题。依据《2008 年辽宁省环境状况公报》，全省辽河、浑河、太子河、大辽河、大凌河、鸭绿江 6 条主要河流，监测的 36 个干流断面中，20 个为劣Ⅴ类水质，占 55.6%，同比下降 16.6 个百分点，主要污染指标为氨氮和化学需氧量。河流水质的下降，也造成了水库和近海水质的下降。2008 年，国家海洋局北海分局发布的《渤海海洋环境公报》显示，污染海域面积已从 2002 年的 0.36 万平方公里增加到 1.38 万平方公里。渤海中 80% 以上污染物为陆源入海排污口超标排放。全省普遍存在的地下水的过量开采，导致地下水位的下降，增大了地表污水对地下水体的入渗。随着地下水超采量的增加，且不断向纵深方向发展，污染物不仅进入浅层地下水，而且还蔓延到深层地

下水。

2.3 生物资源生产力降低

生物资源生产力降低，在利用上表现最为明显的为鱼类资源的减少。一是土地资源的不合理开发、水资源的短缺造成湿地面积减少，生物多样性降低，而导致天然鱼类产量降低。另一个最为重要的原因即是水环境污染直接导致鱼类资源数量减少，产量降低。据有关资料显示，由于环境污染日益严重，渤海的渔业资源面临枯竭的局面。1982 年，渤海每小时的渔业产量是 208 公斤，而现在每小时的产量只有 4 公斤，仅是原来的 1.9%。三是由于渔业生产管理机构的执法力度相对薄弱，因此海洋捕捞出现了无度、无序的现象，造成海洋渔业传统资源渐趋枯竭。在本次调查中发现，在渤海近海，传统经济鱼类已不能形成渔汛，趋于小型化、低龄化。过度捕捞不仅影响鱼类种群数量与结构，也使食物链受损，对渔业资源的影响更为严重。

2.4 旅游资源开发使湿地生态环境受到影响

湿地具有美学、休闲娱乐等价值。依托湿地资源开展科学的旅游开发，是湿地资源利用的一个主要方式，在为人们提供精神需要的同时，也有利于湿地资源的保护。但不依湿地生态规律，盲目的开发建设，会对湿地生态环境造成多种不良影响。人工景点、人为设施的无序投入，使湿地失去了所具有的独特性与自然性，湿地所特有的美学价值降低。河流、库塘、湖泊驳岸的强制性硬化，使湿地资源丧失了与外部环境的物质与能量的交换过程，使湿地野生植物无生长场所，湿地野生动物特别是两栖动物因环境的改变而被迫迁移，生物多样性下降。旅游开发缺乏保护理念，对人为活动的控制性差，造成湿地动植物栖息地破坏。湿地资源的不合理开发建设，短视行为，对湿地生态旅游的持续发展也会造成危害。

2.5 湿地资源利用方式较为单一

湿地具有多种生态、经济功能。在本次调查中，辽宁省湿地资源主导利用方式主要为水产品提供与旅游资源开发，其他利用形式受思想意识、技术手段、宣传推动等方面的影响，而没有得到足够重视。

3 主要措施

3.1 加强湿地土地资源科学管理，严禁盲目利用

湿地土地资源使用，应在调查研究、全面规划和充分论证的基础上，进行合理布局，并严格审批手续。慎重对待重点湿地区，尤其是列入国际重要湿地、国家重要湿地名录以及位于湿地自然保护区内的自然湿地，禁止开垦、占用或者擅自改变用途。湿地利用应在土地资源统一规划利用中考虑，并制定全省湿地的保护战略和行动计划；对已利用区域，开展针对性调查，对破坏生态环境或已占用栖息地，影响湿地生物栖息、繁殖的，要采取相应措施，将影响降低到最低程度。加强湿地土地资源利用研究，包括调查研究湿地土地资源数量和分布、评价各类湿地土地资源的质量和开发利用的潜力、研究湿地土地资源开发利用与保护的最佳模式等。

由政府牵头，协调各有关部门，以政策或制度形式规范湿地土地资源管理模式，对一切利用湿地土地资源的行为，按各湿地类型隶属关系不同，分别报件，统一立项，统一审批，扭转目前多头管理给湿地资源利用带来的不利局面。

3.2 强化水资源的合理利用，提升水环境质量

改变传统的用水观念，提倡节约用水、提高水资源利用效率，杜绝浪费。在全社会呼吁节约用水，建立起水资源危机意识，把节约水资源作为自觉的行动，采取多种形式进行水资源警示教育。在现有基础上，开展海水淡化研究和“中水”利用研究，实现水资源重复利用。改革当前的用水制度，探索实施生态用水补偿制度。加强地下水开采管理，实行严格控制，实现采补平衡，加强沿海地区地下水开采的动态监测，防止海水入侵。

加强水污染治理，首先加强重点工业污染源的控制，从管理部门到各工矿企业必须切实采取措施，从强化硬件建设、严格管理制度等方面落实污染治理工作，推广清洁生产，积极推行排污申报登记制度以及排污许可证制度，实行总量控制，达标排放；其次要加大力度开展污染企业的整顿工作，将工作做到实处，限期整改，对不达标的企业，采取严厉措施，坚决予以关、停、并、转；第三对新建、扩建、改建项目应实行严格的环保审批制度，以避免产生新的污染源；第四应加强水质监测的评价工作，依据国家水质污染评价体系，细化指标，定期监测，全面掌握水质污染变化动态，为科学决策奠定基础；第五应强化城市生活污水、农村面源污水的控制，采取建立污水处理厂及应用湿地净化功能，保证达标排放；最后应对现污染段开展生态修复工程建设，对适宜地段，在科学规则与设计的基础上人工引种水生植物，净化水质。

3.3 杜绝对鱼类资源的过度利用，提高产品供应能力

通过加强水资源管理、节约用水，强化水污染等有效治理，在提高湿地鱼类资源单位面积数量与产出的基础上，严禁过度利用，继续严格执行休渔期制度。同时，严禁利用拖网、密网、网箱等手段进行灭绝式捕捞，以保证鱼类资源的正常繁殖。加强渔政等执法部门监管力度，坚决打击违规、违法捕捞行为，促进湿地提供健康物质产品、持续发挥功能。

3.4 防止对湿地旅游资源的破坏，提升湿地美学价值

在开展湿地旅游的同时，应加强对湿地原生状态、演变与所受威胁与压力的分析，加强对湿地生态环境的监测，包括水动力、水环境、湿地生态特征变化、湿地植被演替，以水禽和鱼类为代表的湿地保护生物的动态变化等，特别是加强湿地水禽及其栖息地生境的监测与评价。在全面做好湿地土地资源、生物资源、水资源、景观资源等客观评价基础上开展开发建设。湿地旅游必须建立在科学论证、整体规划、合理布局的基础上，充分体现“生态优先，科学修复，适度开发，合理利用”的原则。旅游项目安排，要注意防止人工化倾向，以充分体现湿地的自然性和独特性为根本。

3.5 加强湿地资源保护与利用模式研究，促进可持续发展

加强湿地资源的保护与合理利用研究，注重湿地生物多样性保护以及区域湿地保护研究，特

别要加强对已退化的湿地生态系统的整治、恢复及重建技术模式的研究等。建立国际交流机制，扩大合作领域，开展社会、经济、人文等多学科、多课题的综合研究。以生态经济学、系统生态学和生物工程学等理论为指导，研究湿地资源开发利用的最佳模式，大力发展湿地特色农业、渔业、旅游业和其他产业，推广复合生态模式。在保护湿地的基础上充分发挥湿地资源的生态、社会与经济效益，促进可持续发展。

第二节 湿地资源可持续利用前景分析

湿地与森林、海洋并称为地球三大生态系统，是人类最重要的环境资本之一。无论是从生态学还是从经济学的角度看，湿地都是具有价值和生产力最高的生态系统，是经济社会发展的重要战略资源，也是自然界生物多样性最丰富的生态系统，与人类的生存、发展和繁衍息息相关。但长期以来，湿地的价值鲜为人知，人们为促进经济发展，对湿地进行大面积不合理的开发和利用，导致天然湿地日益减少。直到 20 世纪末期提出经济社会可持续发展观以来，湿地保护和合理利用才摆上了国家发展的重要议程，也越来越多地为世人所关注。

湿地可持续利用是指对湿地的利用行为要既能满足当代人的需求，又不对子孙后代的需求造成危害，且能够实现人地协调发展的湿地利用模式。湿地可持续利用的内涵包括以下几个方面。首先，湿地可持续利用要确保区域内湿地生产力及生态的稳定性；其次，湿地可持续利用是在人口、资源、环境和经济协调发展战略下进行的，这就意味着湿地可持续利用在保护生态环境的同时，要促进经济增长和社会繁荣；最后，湿地可持续利用要确保湿地利用的公平性。在时间上，湿地可持续利用不仅着眼于眼前，更着眼于永久的未来。要实现湿地资源可持续利用，必须在强化湿地保护前提下，着眼于生态社会承载力，优化湿地可持续发展模式，促进保护与利用科学协调发展。

1 湿地资源可持续利用潜力分析

1.1 湿地类型多样、面积大

辽宁是中国湿地资源较为丰富的省份之一，《全国湿地调查技术规程》中所列湿地名录中的 5 类湿地，在辽宁均有分布，包括近海与海岸湿地、河流湿地、湖泊湿地、沼泽湿地和人工湿地。据调查，全省湿地总面积 139.48 万公顷，在全国 31 个省份中排名第 12 位。其中，自然湿地面积 107.77 万公顷，占湿地面积的 77.26%；人工湿地 31.71 万公顷，占湿地面积的 22.74%。在自然湿地中，近海与海岸湿地 71.32 万公顷，占湿地总面积的 51.13%；河流湿地 25.15 万公顷，占湿地总面积的 18.03%；湖泊湿地 0.29 万公顷，占湿地总面积的 0.21%；沼泽湿地 11.01 万公顷，占湿地总面积的 7.89%。

1.2 湿地分布范围广泛，差异显著

在辽宁省境内，从沿海到内陆，从平原到山地都有湿地分布，而且还表现为一个地区内有多种湿地类型和一种湿地类型分布于多个地区的特点，构成了丰富多样的类型组合。辽宁湿地分布较为广泛，受自然条件的影响，湿地类型的地理分布有明显的区域差异。

辽宁近海与海岸湿地以旅顺老铁山为界。老铁山以西为沿渤海海岸湿地，除少部分为沙质海岸外，以淤泥质海滩为主；老铁山以东为沿黄海海岸湿地，除旅顺口有少部分岩石性海滩外，其他为淤泥质海滩。河口湿地主要包括狗河口、六股河口、兴城河口、凌河口、双台河口、大辽河口、庄河口、鸭绿江口等。河流湿地在全省范围内均有分布。河流湿地因受地形、气候影响，绝大多数的永久性河流分布在辽宁东部山区及中部平原区；辽宁西部因气候干旱少雨，有季节性河流分布。辽宁沼泽湿地主要分布在辽河三角洲，其中以双台河口湿地最为集中；各地河漫滩、湖滨、海滨一带也有沼泽发育，以草本沼泽居多。湖泊湿地在辽宁分布较少，主要分布在沈阳卧龙湖省级自然保护区和辽宁西部的阜新彰武等地。人工湿地分布最为广泛。其中，库塘湿地从辽东山地区、中部平原区至辽西山地区均有分布；水产养殖场、盐田主要分布在滨海湿地；输水河主要集中在中部平原区的水稻主产区。

1.3 生物多样性丰富

辽宁省湿地因其类型的多样性、地貌的复杂性，而集聚了丰富的生物种类。据调查，辽宁省湿地植物共有 82 科 237 属 402 种。其中国家Ⅱ级保护野生植物包括野大豆、珊瑚菜、中华结缕草、穿龙薯蓣 4 种。在湿地内栖息的湿地野生脊椎动物 5 纲 41 目 130 科 412 种，其中国家Ⅰ级保护动物 7 种，Ⅱ级保护动物 24 种。有哺乳类 2 种，鸟类 157 种，爬行类 1 种，两栖类 15 种，鱼类 237 种。其中的丹顶鹤、东方白鹳、黑鹳、疣鼻天鹅、小天鹅等为列入世界自然保护联盟(IUCN)《中国濒危动物红皮书》的物种。辽宁省湿地是天然的基因库和种质库。

辽宁省湿地资源所具有的类型多、面积大、分布广、区域差异显著、生物多样性丰富等特点，使得依托湿地资源，开展可持续发展与利用，具有巨大潜力。

2 湿地资源可持续利用优势分析

目前可持续发展已成为世界各国的共识，它标志着人类文明史上的一次重大转折，也是转变传统发展模式和开拓现代文明的一个重要里程碑。我国面对严峻的生态环境形势，在《全国生态环境建设规划》中提出“以改善生态环境、提高人民生活质量、实现可持续发展为目标，以科技为先导，把生态环境建设与经济发展紧密结合起来，处理好长远与当前、全局与局部的关系，促进生态效益、经济效益与社会效益的协调统一”。国内外生态环境建设形势，为湿地资源可持续利用提供了基本目标。纵观辽宁省湿地资源利用现状与发展潜力，结合辽宁省生态经济竞争能力，实施资源的可持续利用，具有显著综合优势。

2.1 区位优势

辽宁省湿地资源主要集中在环黄、渤海海岸带及辽宁中部平原区，滨海湿地、辽河三角洲湿

地、辽河干流三级流域湿地均集聚于此，是东北地区的出海口和开放前沿，与辽宁经济可持续发展的"一轴两翼"战略高度契合，开展湿地资源可持续利用，区位优势显著。

2.2　政策优势

近年来，辽宁省人大、省政府相继出台了《辽宁省湿地保护条例》《辽宁省盐业管理条例》《辽宁省河道管理条例》《辽宁省人民政府关于进一步加强全省湿地保护工作的通知》《关于开展全省区域经济可持续发展水资源配置规划工作实施意见》《关于促进海洋渔业持续健康发展的实施意见》《扶持和促进中医药事业发展的实施意见》《关于大力发展旅游业建设旅游强省的意见》等多部政策、法规，规范了与湿地资源保护与利用相关方面的行为，不断推动湿地资源保护事业全面发展。各项政策的出台，为建立全省湿地资源可持续利用保障体系，提供了科学依据和政策基础。

2.3　资源优势

辽宁省湿地资源丰富，土地资源、水资源、生物资源、景观资源及其他矿产资源等方面开发利用潜力巨大。以科学发展观为指导，充分发挥资源优势，走可持续发展之路，变资源优势为产业优势，以利用促发展、以发展促保护，保护与利用协调共赢，将是今后湿地资源保护与利用的根本目标。

2.4　产业优势

辽宁省湿地资源保护与利用相关的产业发展迅速。辽宁渔业历史悠久，具有雄厚的产业基础，渔业中养殖业、增殖业、捕捞业、加工业、休闲渔业等已经成为辽宁经济社会发展中新的增长领域。湿地旅游业作为新兴产业在辽宁蓬勃发展，已经在旅游业的跨越式发展中，发挥了越来越重要的作用，尤其在旅游强省品牌的打造上举足轻重，成为打造旅游强省的又一支生力军。辽宁盐场是中国四大盐场之一，主要分布在辽宁省渤海沿岸和辽东湾营口、盖州一带，因其质量上乘，而蜚声海内外。全省中医药产业、制造产业、化工产业等所具有的雄厚基础，有利于湿地生物资源的开发利用。

2.5　科研优势

在辽宁省，有中国科学院沈阳应用生态研究所、盘锦市湿地科学研究所、辽宁大学、沈阳农业大学、沈阳师范大学等湿地保护与利用方面的科研院所和大专院校云集，科研力量雄厚，人才优势显著。尤其是盘锦市湿地科学研究所成立于1954年，半个多世纪以来，为湿地生态环境的保护、芦苇产业的发展和经济建设做出了重大贡献，共获得科技进步奖36项，出版专著6部，发表论文600多篇，授权专利2项。研究所围绕湿地保护和可持续发展中急需解决的重大问题，通过基础研究，对湿地类型、功能、特征、价值、动态变化进行了全面、深入、系统的研究，为湿地的保护和合理利用奠定了科学基础。

3 促进湿地资源可持续利用措施

3.1 加强湿地资源可持续利用研究

辽宁省湿地资源利用研究尚处于初级阶段，当前首要任务是加强湿地利用的动态研究和湿地可持续利用模式的研究。通过对湿地利用的动态研究，可以及时了解湿地利用对环境的影响。应尽快建立省级湿地监测体系，积极推广包括地理信息系统和遥感在内的新的监测技术在湿地监测方面的应用。同时，为了解决湿地利用和湿地保护之间的矛盾，必须加强湿地可持续利用模式的研究。

3.2 建立一个多部门参与的湿地综合管理机构

辽宁省湿地资源权属分散，多头管理，严重影响了湿地保护管理的可持续利用。因此，应建立一个多部门参与、支持、协调的湿地管理机构，职责为应用现行法律法规、相关政策及相关技术手段，对湿地资源进行评估，规范湿地保护与利用行为；探讨防止湿地遭受重大破坏和威胁的途径、手段及政策措施；研究湿地保护、管理、开发的资金筹集渠道、运行机制与经济补偿规则等。

3.3 建立湿地可持续利用的有效经济调节机制

建立湿地可持续利用的有效经济调节机制，可以协调短期利益和长期利益、社会利益和个人利益以及湿地周围居民的利益和湿地开发者的利益。政府可以通过补贴、税收优惠、财政投入和财政转移支付等形式，鼓励对湿地保护与利用有利的个体和社会行为。

3.4 大力加强湿地资源可持续利用示范区建设

湿地资源可持续利用示范区可以为科学合理利用湿地资源提供经验和示范作用。湿地资源可持续利用的示范区建设，可以按照湿地资源的特点，开展生态农业、生态渔业、生态养殖、中药材种植等相结合的湿地多用途管理模式示范建设；结合退田还湿，因地制宜发展湿地农业建设；发挥湿地景观特点，积极推进湿地生态旅游。

3.5 积极传播湿地资源可持续利用知识

教育、宣传和公共参与在湿地资源可持续利用中扮演着重要的角色。首先，应通过各种渠道使公众认识到湿地可持续利用的重要性和紧迫性；其次，应创造帮助公众了解湿地可持续利用技术的便捷途径。政府可以聘请专家通过电视、网络、课堂讲座等形式向公众讲解湿地保护和利用的技术；第三，应加大政府在湿地教育方面的投入。

第五章 湿地资源评价

第一节 湿地生态状况

湿地生态状况直接反映湿地生态系统健康水平，也是评价湿地生态功能是否正常发挥和能否满足人类需要的重要依据。辽宁省湿地生态资源评价，采用了全省56个重点调查湿地为样本，通过这56个重点调查湿地的数据，可反映出辽宁省湿地水文、水质、富营养、湿地生态状况等全面情况。

1 水文状况

1.1 水源补给状况

辽宁省湿地水源补给方式包括地表径流、大气降水、人工补给及综合补给等。其中，以地表径流为主要补给方式的湿地面积30.53万公顷，占湿地总面积的21.88%；以大气降水为主要补给方式的湿地面积为0.26万公顷，占湿地总面积的0.19%；以人工为主要补给方式的湿地面积为19.50万公顷，占湿地总面积的13.98%；综合补给方式的湿地面积为89.19万公顷，占湿地总面积的63.95%（表5-1）。

表5-1 辽宁省湿地资源水源补给状况

水文要素		湿地总计		重点调查湿地		一般调查湿地	
		面积（公顷）	比例（%）	面积（公顷）	比例（%）	面积（公顷）	比例（%）
水源补给状况	地表径流补给	305256.18	21.88	56238.82	4.03	249017.36	17.85
	大气降水补给	2631.35	0.19	747.09	0.05	1884.26	0.14
	人工补给	194977.48	13.98	78612.78	5.64	116364.7	8.34
	综合补给	891899.61	63.95	518421.36	37.17	373478.25	26.78
合计		1394764.62	100	654020.05	46.89	740744.57	53.11

以地表径流为水源补给方式的主要为河流湿地及无堤河岸生长的部分沼泽湿地，体现形式以雨洪径流为主，融雪径流为辅。以大气降水为主要补给方式的湿地为省内小面积的湖泊湿地，集中在彰武零星湿地区，湿地受降水强度、降雨历时等气候因素影响较大，常因干旱，导致湿地面积萎缩。人工补给主要是水产养殖场、输水河、盐田等人工湿地的水源补给方式，通过人工补水，维持湿地服务功能需求。综合补给为全省湿地的主要水源补给方式，占湿地总面积的63.95%，涉及近海与海岸湿地、沼泽湿地及库塘湿地等，主要通过地表径流及大气降水两种方式，维持湿地生态需水。

1.2 流出状况与积水状况

1.2.1 流出状况

辽宁省56个重点调查湿地地面水流出状况包括永久性流出与季节性流出两种，以永久性流出为主，包括永久性河流和库塘湿地等，面积64.25万公顷，占总面积的98.23%。季节性流出的湿地类型主要为季节性河流，面积0.49万公顷，占总面积的0.74%；无流出面积0.67万公顷，占总面积的1.03%。无流出湿地为沈阳卧龙湖和丁香湖湿地。

1.2.2 积水状况

全省重点调查湿地中永久性积水面积64.92万公顷，占总面积的99.25%；季节性积水面积0.49万公顷，占总面积的0.75%。季节性积水湿地主要为季节性河流湿地(表5-2)。

表5-2 辽宁省湿地资源流出、积水状况

项　目		面积(公顷)	比例(%)
流出状况	永久性流出	642459.11	98.23
	季节性流出	4867.66	0.74
	无流出	6693.28	1.03
积水状况	永久性积水	649152.39	99.25
	季节性积水	4867.66	0.75

1.3 水质状况

全省56个重点调查湿地的水质状况如下：

(1)湿地地表水pH分级：地表水pH分级中性水面积6.18万公顷；弱碱性水面积59.22万公顷。

(2)湿地地表水矿化度分级：地表水矿化度分级淡水面积32.88万公顷；微咸水面积12.99万公顷；咸水面积19.52万公顷。

(3)湿地地表水透明度分级：地表水透明度为浑浊的50.55万公顷；透明度为清的5.27万公顷；很浑浊的9.30万公顷；不透明的0.27万公顷。

(4)湿地地表水营养状况：湿地地表水贫营养的3.76万公顷；中营养的50.37万公顷；富营养的11.27万公顷。

(5)水质：全省56个重点调查湿地中，无Ⅰ类水质分布；其中，Ⅱ类水质面积18.48万公顷；Ⅲ类水0.46万公顷；Ⅳ类水面积46.13万公顷；Ⅴ类水0.33万公顷。以Ⅳ类水质为主(表5-3)。

表5-3　辽宁省重点调查湿地水质状况

水　质		重点调查湿地	
		面积(公顷)	比例(%)
地表水pH分级	中性	61793.09	9.45
	弱碱性	592226.96	90.55
地表水矿化度分级	淡水	328817.69	50.28
	微咸水	129979.27	19.87
	咸水	195223.09	29.85
地表水透明度分级	清	52723.92	8.06
	不透明	2710.09	0.42
	浑浊	505503.89	77.29
	很浑浊	93082.15	14.23
地表水营养状况	贫营养	37580.72	5.75
	中营养	503748.93	77.02
	富营养	112690.4	17.23
水质级别	Ⅰ		
	Ⅱ	184823.49	28.25
	Ⅲ	4610.72	0.71
	Ⅳ	461274.77	70.53
	Ⅴ	3311.07	0.51

2　湿地生态状况评价

湿地生态状况评价是指运用科学的评价体系和方法，对湿地的生态功能和效益进行定性或定量的分析与评价，是湿地保护和合理利用的基础。科学、全面地评价湿地所具有的生态功能和效益，可以为湿地及其资源的监测和研究提供可供比较和广泛利用的数据资料，有利于提高湿地研究、监测与保护利用水平，为湿地的保护规划和合理利用提供科学依据。

2.1　评价方法

辽宁省湿地生态状况评价方法采用层次分析方法和德尔菲法，综合利用反映湿地生态状况的自然湿地面积、生物多样性、水环境、湿地利用和受威胁状况等各方面指标，对评价指标分别进行分级和赋值，确定各指标权重；再根据权重计算累计求和，得出56个重点调查湿地的综合得分；根据综合得分采用统计学自然断点法，评价重点调查湿地的生态状况；对重点调查湿地得分进行划分级别，分为好、中、差；最终体现出全省湿地生态状况。

全省重点调查湿地生态状况评价指标体系按照科学性、协调性、实用性、可行性、系统性原则，建立湿地生态评价的层次结构。其中，一级指标分为自然指标和人为干扰指标两大类；二级指标分为景观指标、生物多样性指标、水环境指标、社会指标、威胁指标；三级指标为自然湿地率、湿地密度、湿地斑块密度、单位面积物种多度、植物覆盖度、外来物种入侵、污染物、富营养、水质级别、人口密度、利用情况、威胁因子数量、威胁程度 13 项指标(表 5-4)。

表 5-4 湿地评价指标体系一览

一 级	二 级	三 级	因 子
自然指标	景观指标	自然湿地率	自然湿地面积/湿地总面积
		湿地密度	平均斑块面积/湿地总面积
		湿地斑块密度	湿地斑块数/湿地总面积
	生物多样性指标	单位面积物种多度	物种数量/湿地面积
		植物覆盖度	植被面积/湿地面积
		外来物种入侵	有、无
	水环境指标	污染物	有、无
		富营养	贫、中、富 3 级
		水质级别	分为 5 级
人为干扰指标	社会指标	人口密度	人口数量/重点调查面积
		利用情况	工、农、水、未 4 级
	威胁指标	威胁因子数量	数量
		威胁程度	安全、轻度、重 3 级

采用层次分析方法(AHP)和德尔菲法，对评价指标进行分级和赋值，确定指标权重(表 5-5)。

表 5-5 指标体系权重

一 级	权 重	二 级	权 重	三 级	权 重
自然指标	0.6	景观指标	0.1	自然湿地率	0.03
				湿地密度	0.012
				湿地斑块密度	0.018
		生物多样性指标	0.45	单位面积物种多度	0.108
				植物覆盖度	0.108
				外来物种入侵	0.054
		水环境指标	0.45	污染物	0.054
				富营养	0.081
				水质级别	0.135

（续）

一 级	权 重	二 级	权 重	三 级	权 重
人为干扰指标	0.4	社会指标	0.4	人口密度	0.064
				利用情况	0.096
		威胁指标	0.6	威胁因子数量	0.084
				威胁程度	0.156

根据统计学累计求和公式，计算每处重点调查湿地生态状况综合得分。

$$综合得分 = \sum 指标值 \times 指标权重$$

2.2 评价结果

根据综合得分，对重点调查湿地的生态状况进行综合评定，再利用统计学的自然断点法（natural breaks）对重点调查湿地的生态状况综合得分进行划分，分为好、中、差3个等级。全省重点调查湿地综合得分为5.505分，各重点调查湿地综合得分及分级情况见表5-6、表5-7。

表5-6 辽宁省重点调查湿地综合得分

序号	重点调查湿地名称	分 级	综合值
1	凤城蒲石河市级自然保护区	好	7.057
2	朝阳小凌河中华鳖省级自然保护区	好	7.001
3	丹东红铜沟鹭鸟市级自然保护区	好	6.946
4	铁甲水库湿地	好	6.662
5	营口西炮台湿地公园	好	6.579
6	朝阳苍鹭县级自然保护区	好	6.578
7	丹东玉龙湖市级自然保护区	好	6.577
8	凌源青龙河省级自然保护区	好	6.55
9	辽宁仙人洞国家级自然保护区	中	6.488
10	桓仁水库湿地	中	6.382
11	辽河湿地森林公园	中	6.254
12	白石水库湿地	中	6.166
13	丹东双江河市级自然保护区	中	6.154
14	水丰水库湿地	中	6.142
15	彰武县那木斯莱县级自然保护区	中	6.019
16	绥中王宝河市级自然保护区	中	5.882
17	辽阳汤河水库水源市级自然保护区	中	5.798
18	丹东鸭绿江口湿地国家级自然保护区	中	5.77

（续）

序号	重点调查湿地名称	分 级	综合值
19	鞍山大麦科省级自然保护区	中	5.765
20	龙潭水库湿地	中	5.734
21	锦州大亚湿地	中	5.731
22	甘井子区柳树沟湿地	中	5.688
23	辽宁章古台省级自然保护区	中	5.686
24	辽宁大伙房饮用水源保护区	中	5.614
25	建昌六股河赤麻鸭、绿翅鸭县级自然保护区	中	5.603
26	沈阳卧龙湖省级自然保护区	中	5.576
27	清河水库湿地	中	5.546
28	观音阁水库湿地	中	5.507
29	营口永远角湿地	中	5.451
30	乌金塘水库湿地	中	5.402
31	建昌宫山嘴苍鹭县级自然保护区	中	5.363
32	辽宁铁岭莲花湖国家湿地公园	中	5.348
33	盘锦辽河湿地公园	中	5.322
34	昌图红山水库水源县级自然保护区	中	5.264
35	辽宁大连斑海豹国家级自然保护区	中	5.204
36	石佛寺水库湿地	中	5.195
37	沈阳仙子湖市级自然保护区	中	5.147
38	海城三岔河县级自然保护区	中	5.141
39	辽宁蛇岛老铁山国家级自然保护区	中	5.098
40	辽宁双台河口国家级自然保护区	中	5.091
41	铁岭凡河省级自然保护区	中	5.09
42	葫芦岛狗河入海口湿地	差	4.994
43	辽阳双河市级自然保护区	差	4.952
44	普兰店城子坦湿地	差	4.91
45	彰武县阿尔乡湿地保护小区	差	4.906
46	浑河辽阳段湿地	差	4.868
47	铁岭县鸳鸯湿地生态保护小区	差	4.862
48	铁岭县吊龙湾湿地保护小区	差	4.826
49	沈阳獾子洞水库湿地	差	4.715
50	本溪市林家崴子湿地	差	4.629

（续）

序号	重点调查湿地名称	分　级	综合值
51	沈阳市丁香湖湿地公园	差	4.559
52	黑山绕阳河湿地市级自然保护区	差	4.555
53	瓦房店三台湿地	差	4.442
54	葫芦岛六股河入海口滨海湿地市级自然保护区	差	4.427
55	锦州凌河口湿地市级自然保护区	差	4.07
56	庄河滨海湿地	差	4.07

表 5-7　辽宁省湿地生态状况评价

生态状况 / 湿地类型	好	中	差
近海与海岸湿地		217727.6	185605.22
河流湿地	2826.07	22476.66	7902.47
湖泊湿地		1664.71	615.63
沼泽湿地	146.82	63673.53	6655.09
人工湿地	2542.5	87344.7	54839.05
合　计	5515.39	392887.2	255617.46

根据调查结果，湿地生态状况评价为好的有 8 个，评价为中的有 33 个，评价为差的有 15 个。其中，生态状况好的湿地面积 0.55 万公顷，中等 39.29 万公顷，评价为差的面积 25.56 万公顷。全省重点调查湿地生态状况总体处于中等水平。

第二节
湿地受威胁状况

1　威胁程度

据调查，重点调查湿地所受主要威胁包括污染、围垦及过度捕捞等。受威胁程度为轻度的 31 个，面积 35.09 万公顷；为重度的 16 个，面积 26.46 万公顷；为安全的 9 个，面积 3.85 万公顷（表 5-8）。

表 5-8　辽宁省重点调查湿地受威胁状况统计

威胁程度	重点调查湿地（个）	面积（公顷）
安全	9	38512.9
轻度	31	350921.11
重度	16	264586.04

2 主要威胁因子分析

2.1 污 染

污染是全省重点调查湿地所受最主要的威胁。近年来，辽宁省全力加强水环境污染的治理力度，取得一定成效，但污染仍存在较大问题。据调查，全省辽河、浑河、太子河、大辽河、大凌河、鸭绿江6条主要河流，监测的36个干流断面中，20个为劣V类水质，占55.6%。主要指示指标为氨氮含量和化学需氧量。河流水质的下降，也造成了水库和近海水质的下降。据调查，渤海2002年污染海域为0.36万平方公里，2008年已增加到1.38万平方公里。渤海中80%以上污染物为陆源入海排污口排放。全省普遍存在的地下水的过量开采，导致地下水位的下降，增大了地表污水对地下水体的入渗。随着地下水超采量的增加，且不断向纵深方向发展，污染物已进入浅层地下水，目前已有向深层地下水蔓延趋势。如辽河油田排出的石油废弃物和农业面源污染物注入了锦州市凌河口湿地市级自然保护区，使水质严重恶化。同时，大量的地下水开采，已经引发了严重的海水倒灌，近岸土地盐渍化现象日趋严重，受影响区域呈扩大趋势。

2.2 围 垦

当前盲目的商业开发、填海造地、围垦造田、养鱼等造成湿地野生动物栖息地萎缩，制约湿地生态系统物质循环与能量流动过程，导致生物多样性降低，湿地生态功能退化。由于湿地土壤土层深厚，含有较多的有机质及无机养分，且地势平坦，便于灌溉，已经有大量湿地被开垦为稻田。1987~1997年的10年间，盘锦市大洼县小三角洲农业综合开发围垦面积达到1万多公顷。同时在村屯周围的湿地亦有部分开挖成盐田、养殖池。围垦造成地表植被破坏，土地沙化，湿地减少。而且由于生产经营不稳定，部分虾池废弃闲置，这对湿地都是较为严重的破坏。

2.3 过度捕捞

过度捕捞是威胁湿地的又一个重要因素。辽宁湾濒临渤海，近年来的过度捕捞现象十分严重，不仅使重要的天然经济鱼类资源受到很大的破坏，而且也严重影响着这些滨海湿地的生态平衡，威胁着其他水生物种的安全。鱼类种类日趋单一，种群结构低龄化、小型化。渤海的渔业资源当前面临枯竭的局面。据调查，1982年，渤海每小时的产鱼量是208公斤，而现在每小时的产量只有4公斤，仅是原来的1.92%。在本次调查中发现，在渤海近海，传统经济鱼类已不能形成渔汛，趋于小型化、低龄化。过度捕捞不仅影响种群数量与结构，也使食物链受损，对渔业资源的影响更为严重。

2.4 其 他

其他威胁因素包括非法狩猎、盐碱化、泥沙淤积、过度放牧及海岸侵蚀等。湿地所受威胁不同程度地对湿地生态环境造成不良影响。非法狩猎，特别是对鸟类的盗捕、盗猎行为屡禁不止。江河水土流失加剧，影响了流域的生态平衡，河流中的泥沙含量增大，造成河床、湖底、水库淤积，湿地面积不断缩小，功能衰退。过度放牧导致湿地植被面积逐渐减少，破坏了湿地生态系统结构。海岸侵蚀在滨海湿地区是较普遍的问题，在营口和葫芦岛滨海湿地尤为明显。自然海浪、潮流、飓风对湿地植被的破坏，以及人为开采矿物和挖取砂石是造成海岸侵蚀的主要因素。在沙质海岸区，由于采沙，已使许多良好的沙质海岸遭受破坏，海岸侵蚀加剧。一些沿海湿地的破坏，使许多沿海城镇受到严重的海水侵蚀和地下水反渗透。

第三节
湿地资源变化及原因分析

1 面积变化

1.1 总面积

2009年第二次全国湿地调查，全省湿地资源总面积为139.48万公顷，而2000年全国第一次湿地调查，全省湿地资源总面积为121.96万公顷，本次调查比第一次调查增加17.51万公顷，增加了14.36%(表5-9)。

表5-9 两次湿地资源调查总量动态比较(公顷)

期　次	合　计	近海与海岸湿地	河流湿地	湖泊湿地	沼泽湿地	人工湿地
本次调查总量	1394764.62	713198.94	251446.41	2911.84	110098.79	317108.64
第一次调查	1219615	738097	252171	6250	110237	112860
本次总量比第一次增减	175149.62	-24898.06	-724.59	-3338.16	-138.21	204248.64

注：第一次调查人工湿地只调查了库塘。

1.2 本次调查100公顷以上湿地(含100公顷)面积

本次调查100公顷以上(含100公顷)且同湿地类的湿地面积132.83万公顷，比第一次调查121.96万公顷增加10.87万公顷，增加了8.91%(表5-10)。

表5-10 两次湿地资源调查100公顷以上面积动态比较(公顷)

期　次	合　计	近海与海岸湿地	河流湿地	湖泊湿地	沼泽湿地	人工湿地
本次调查100公顷以上湿地面积	1328314.62	712161.08	214400.4	1797.56	107304.86	292650.72
第一次调查	1219615	738097	252171	6250	110237	112860
本次调查100公顷以上湿地面积比第一次增减	108699.62	-25935.92	-37770.6	-4452.44	-2932.14	179790.72

2 两次调查结果分析

由于两次调查的区划系统、调查范围和斑块区划条件等技术标准的不同，本次调查湿地总量与第一次调查的湿地总量，不具可比性。现就本次调查湿地面积在100公顷以上(含100公顷)且同湿地型面积与第一次调查结果进行对比分析。

本次调查100公顷以上(含100公顷)且与第一次调查同湿地型湿地面积105.56万公顷，比第一次调查面积121.96万公顷减少16.40万公顷，减少了13.45%(表5-11)。

表5-11 本次调查100公顷以上(含100公顷)且与第一次调查同样湿地型面积动态比较(公顷)

期次	合计	近海与海岸湿地							
		共计	浅海水域	岩石海岸	沙石海滩	淤泥质海滩	潮间盐水沼泽	河口水域	三角洲/沙洲/沙岛
本次调查	1055584.73	712161.08	598835.03	156.71	5125.3	63155.04	5171.19	21953.28	17764.53
第一次调查	1219615	738097	464200	5820	15780	222404	680	15703	13510
增减	-164030.27	-25935.92	134635.03	-5663.29	-10654.7	-159248.96	4491.19	6250.28	4254.53

期次	河流湿地		湖泊湿地		沼泽湿地		人工湿地	
	共计	永久性河流	共计	永久性淡水湖	共计	草本沼泽	共计	库塘湿地
本次调查	126234.64	126234.64	1797.56	1797.56	105105.31	105105.31	110286.14	110286.14
第一次调查	252171	252171	6250	6250	110237	110237	112860	112860
增减	-125936.36	-125936.36	-4452.44	-4452.44	-5131.69	-5131.69	-2573.86	-2573.86

依据数据统计，近海与海岸湿地、河流湿地、湖泊湿地、沼泽湿地和人工湿地本次调查比第一次调查均有不同程度减少。两次调查面积变化较大的原因主要包括以下几个方面。

2.1 调查的技术标准不同

第一次调查时没有细化湿地型，淤泥质海滩湿地型面积中包含了水产养殖场和盐田；河流湿地类永久性河流湿地型面积中包含了季节性河流与洪泛平原；沼泽湿地类草本沼泽湿地型中包含了灌丛沼泽与沼泽化草甸。本次调查时按湿地型不同分别区划，致使本次调查淤泥质海滩、永久性河流湿地、草本沼泽湿地面积比第一次调查面积减少。

-6米等深线位置是浅海水域的区划范围，全省海岸线总长度达2920公里，-6米等深线精确程度，决定着浅海水域面积的准确性。本次湿地调查利用获得最新的海图资料，通过海图确定-6米等深线，位置较为精确；第一次采用地形图手工方式内插，本次调查精度远高于第一次。两次调查浅海水域之间的误差是由于第一次调查精确性较差造成的。

另外第一次调查时，将库塘湿地、永久性湖泊湿地按主导类型区划为一个完整图斑，将周边草本沼泽、沼泽化草甸等不同的湿地型并入同一图斑。本次按《辽宁省湿地资源调查技术实施细则》要求，按不同湿地型分别区划，导致本次调查库塘湿地、湖泊湿地面积减少。

2.2　调查手段的不同

本次调查技术手段先进，调查底图采用增强处理后的2008年的中巴资源卫星遥感影像，图像清晰；外业调查100%利用PDA实地验证；内业图形数据采用ArcGIS软件处理；统计成果可靠，能够真实反映全省湿地现状，不同湿地型间区划可靠程度高。第一次调查采用1∶10万比例尺的地形图(1980年版)结合卫星图片(1996年)以室内判读区划湿地图斑为主，各湿地型间界线不明显，缺少必要的现地验证。占用资料的不同和调查手段的不同致使在第一次调查时将潮间盐水沼泽、河口水域、三角洲/沙洲/沙岛等湿地型区划面积偏小，不同程度划大了淤泥质海滩、沙石海滩和岩石海岸的面积。两次调查的技术手段相差悬殊，造成了近海与海岸湿地各湿地型之间产生误差。

2.3　围垦、征占

近年来，随着经济社会的不断发展、城市化进程的加快，工业、农业、能源、水利、电力、旅游开发等各类基础设施建设对沿海湿地的围垦征占，是造成沙石海滩、淤泥质海滩、岩石海岸等湿地型面积减少的重要原因。第一次调查沿海包括大连、丹东、营口、盘锦、锦州、葫芦岛等六市淤泥质海滩面积22.24万公顷，本次调查为6.32万公顷，减少了15.92万公顷(包括高潮线以下盐田、水产养殖场15.75万公顷)。虽有两次调查技术标准、调查手段的不同造成的误差，但调查间隔期内，因围垦征占减少湿地面积0.16万公顷。湿地作为后备土地资源，被局部占用征用现象在我省沿海诸城市均不同程度发生。填海造地、围垦养殖等工农业建设在造成沿海湿地减少的同时，也使湿地环境遭到破坏，生态功能衰退。

3　生物多样性对比分析

3.1　野生动物资源变化

生物多样性是指地球上生物圈中所有生物，即动植物及微生物，以及它们所拥有的基因和生存环境。生物多样性包含3层含义，即遗传多样性、物种多样性、生态系统多样性。生物多样性是地球上数十亿年来生命进化的结果，是生物圈的核心组成部分，也是人类赖以生存的物质基础。全省湿地生物多样性对比分析主要从物种多样性角度分析变化情况。

3.1.1　鸟类资源变化

本次调查，湿地鸟类共157种，比第一次114种增加43种。增加最多的为鸻形目15种，其次为雁形目6种，鹤形目6种，鹈形目4种，鹳形目3种，潜鸟目3种，鸊鷉目3种，隼形目1种，佛法僧目2种(表5-12)。

表 5-12 辽宁省水鸟变化情况(个)

对比		合计	潜鸟目	䴙䴘目	鹈形目	鹳形目	雁形目	隼形目	鹤形目	鸻形目	佛法僧目
变化值	目数量	3	1		1			1			
	科数量	7	1		1			1		2	2
	种数量	43	3	3	4	3	6	1	6	15	2
第一次调查	目数量	6		1		1	1		1	1	1
	科数量	16		1		3	1		2	8	1
	种数量	114		2		16	28		10	57	1
本次调查	目数量	9	1	1	1	1	1	1	1	1	1
	科数量	23	1	1	1	3	1	1	2	10	3
	种数量	157	3	5	4	19	34	1	16	72	3

3.1.2 两栖类、爬行类、哺乳类、鱼类资源变化

第二次资源调查，两栖动物增加了 1 种，为中国林蛙；爬行类比上次调查减少 8 种；哺乳类比上次调查减少 19 种；减少原因为本次调查仅对以湿地为主要生境的野生动物进行了调查，对上期调查的如爬行类的蛇类、哺乳类的鼠类等多生境野生动物没有纳入。鱼类比上期减少了 37 种，减少是由于两次调查的时间、方法差异造成的(表 5-13)。

表 5-13 辽宁省两栖类、爬行类、哺乳类、鱼类资源变化情况(个)

	两栖类	爬行类	哺乳类	鱼 类
本次调查	15	1	2	237
第一次调查	14	9	21	274
增 减	1	-8	-19	-37

3.2 野生植物资源变化

与上期调查数据相比，本次调查共记录到湿地植物 402 种，第一次调查统计数为 474 种，减少了 72 种。减少的主要原因是由于两次调查对于湿地植物种类的界定不同造成的(表 5-14)。

表 5-14 两次调查野生植物资源数量对比表

序号	科		第一次调查		本次调查	
	中文名	拉丁名	属(个)	种(个)	属(个)	种(个)
1	百合科	Liliaceae	3	4	2	2
2	败酱科	Valerianaceae	1	1	2	2
3	报春花科	Primulaceae	3	4	3	4
4	车前科	Plantaginaceae	1	3	1	3
5	柽柳科	Tamaricaceae	1	1	1	1

（续）

序号	科		第一次调查		本次调查	
	中文名	拉丁名	属(个)	种(个)	属(个)	种(个)
6	唇形科	Labiatae	8	9	9	11
7	茨藻科	Najadaceae	1	4	1	3
8	大戟科	Euphorbiaceae	2	4	2	2
9	灯心草科	Juncaceae	2	6	1	6
10	豆科	Leguminosae	12	17	18	24
11	浮萍科	Lemnaceae	2	4	2	3
12	沟繁缕科	Elatinaceae	1	1	1	1
13	谷精草科	Eriocaulaceae	1	2	1	1
14	禾本科	Gramineae	35	57	32	52
15	黑三棱科	Sparganiaceae	1	3	1	2
16	胡麻科	Pedaliaceae			1	1
17	胡桃科	Juglandaceae	1	1	1	1
18	葫芦科	Cucurbitaceae	1	1	1	1
19	虎耳草科	Saxifragaceae	2	2	2	2
20	花蔺科	Butomaceae	1	1	1	1
21	花荵科	Polemoniaceae	1	1	1	1
22	桦木科	Betulaceae			2	2
23	槐叶苹科	Salviniaceae	1	1	1	1
24	蒺藜科	Zygophyllaceae	2	2		
25	夹竹桃科	Apocynaceae	1	1	1	1
26	金鱼藻科	Ceratophyllaceae	2	2	1	3
27	堇菜科	Violaceae	1	3	1	1
28	锦葵科	Malvaceae	2	2	2	2
29	景天科	Crassulaceae	1	1		
30	桔梗科	Campanulaceae	1	1	1	1
31	菊科	Compositae	29	60	27	58
32	蓝雪科	Plumbaginaceae	1	3	1	1
33	狸藻科	Lentibulariaceae	1	1	1	1
34	藜科	Chenopodiaceae	7	14	6	12
35	楝科	Meliaceae			1	1
36	蓼科	Polygonaceae	3	23	2	16
37	菱科	Trapaceae	1	5	1	3
38	柳叶菜科	Onagraceae	3	4	3	3
39	龙胆科	Gentianaceae	2	3	1	1

（续）

序号	科		第一次调查		本次调查	
	中文名	拉丁名	属(个)	种(个)	属(个)	种(个)
40	萝藦科	Asclepiadaceae	2	4	3	5
41	马齿苋科	Portulacaceae	1	1	1	1
42	牻牛儿苗科	Geraniaceae	2	2	1	1
43	毛茛科	Ranunculaceae	4	12	3	4
44	木兰科	Magnoliaceae			1	1
45	葡萄科	Vitaceae			1	1
46	千屈菜科	Lythraceae	2	2	1	1
47	茜草科	Rubiaceae	1	1	2	2
48	蔷薇科	Rosaceae	5	12	6	11
49	茄科	Solanaceae	3	3	2	2
50	伞形科	Umbelliferae	5	5	10	10
51	桑科	Moraceae	1	1	1	1
52	莎草科	Cyperaceae	10	52	9	31
53	杉叶藻科	Hippuridaceae	1	1	1	1
54	十字花科	Cruciferae	7	11	5	9
55	石竹科	Caryophyllaceae	4	7	3	5
56	薯蓣科	Dioscoreaceae			1	1
57	水鳖科	Hydrocharitaceae	4	4	3	3
58	水马齿科	Callitrichaceae	2	2	1	1
59	水麦冬科	Juncaginaceae	1	3	1	2
60	天南星科	Araceae	3	3	2	2
61	卫矛科	Celastraceae			1	1
62	苋科	Amaranthaceae	1	1	2	3
63	香蒲科	Typhaceae	1	5	1	5
64	小二仙草科	Haloragidaceae	1	4	1	3
65	玄参科	Scrophulariaceae	7	9	4	5
66	旋花科	Convolvulaceae	1	3	3	4
67	荨麻科	Urticaceae	2	2	2	2
68	鸭跖草科	Commelinaceae	2	2	2	2
69	眼子菜科	Potamogetonaceae	4	19	4	16
70	杨柳科	Salicaceae	1	4	1	6
71	罂粟科	Papaveraceae	1	1	1	1
72	雨久花科	Pontederiaceae	1	2	2	3
73	鸢尾科	Iridaceae	1	2	1	2

（续）

序号	科		第一次调查		本次调查	
	中文名	拉丁名	属(个)	种(个)	属(个)	种(个)
74	泽泻科	Alismataceae	2	5	2	2
75	紫草科	Boraginaceae	5	5	3	3
76	酢浆草科	Oxalidaceae	1	1	1	1
77	马鞭草科	Salvinia natans	1	1		
78	藤黄科	Guttiferae	1	2		
79	睡莲科	Nymphaeaceae	3	3		
80	苹科	Marsileaceae	1	1		
81	麻黄科	Ephedraceae	1	1		
82	金星蕨科	Thelypteridaceae	1	1	1	1
83	卷柏科	Selaginellaceae	1	1		
84	满江红科	Azollaceae	1	1	1	1
85	木贼科	Equisetaceae	1	5	1	2
86	球子蕨科	Onocleaceae	1	1		
87	水龙骨科	Polypodiaceae			1	1
88	铁角蕨科	Aspleniaceae			1	1
89	鳞毛蕨科	Dryopteridaceae	1	1		
90	柳叶藓科	Amblystegiaceae	3	6	3	5
91	钱苔科	Ricciaceae	3	3	3	3
92	水藓科	Fontinalaceae	1	4	1	3
合 计			247	474	237	402

4 变化原因分析

两次调查标准、调查时间、调查方法的不同是生物多样性变化的主要原因。由于辽宁省生态区位重要，加之近年来保护管理能力与保护意识不断增强，使我省湿地的生物多样性不断得到丰富。

4.1 生态区位重要

湿地是野生动植物赖以生存的基础，是野生动植物的栖息、繁衍、生长的必要条件。辽宁省地理环境复杂、地形地貌多样，漫长的海岸线，星罗密布的内陆库塘，形成了良好的湿地环境条件，为野生动植物提供了良好的生存条件。同时辽宁地处长白、华北、蒙古三大植物区系和东北、华北、蒙新三大动物区系的交汇地带，造就了丰富的生物多样性。辽宁是全国水鸟分布较多的地区之一，是东北亚水鸟迁徙的咽喉地带，是水鸟繁殖和越冬的极限交汇地区，也是多种世界濒危水鸟的繁殖基地。辽宁省是连接西伯利亚与南亚湿地鸟类迁徙的中枢，同时处于东亚—澳大利西亚雁鸭类水禽迁徙通道的重要轴线之上，使得鸟类资源更为丰富。

4.2 保护能力的不断增强

保护生物多样性重要举措即建立自然保护区、自然生态保护小区等特定范围保护地，通过对自然保护区的建设和有效管理，从而使生物多样性得到切实的人为保护。根据两次湿地调查的结果，10 年间累计新增保护面积 28.49 万公顷。特别是新增的针对特定保护物种的自然保护区，如庄河的黑脸琵鹭自然保护区、朝阳小凌河中华鳖湿地保护区等，对保护特有物种起到了不可替代的作用。保护区的增加，完善了全省湿地保护网络，提高了全省湿地监测范围，保证了重点野生动植物的生存空间。同时，全省相继设立了大连斑海豹救助中心、成立了沈阳市猛禽救助中心等，加强了珍稀野生动植物的拯救工作，有效地保护了稀有物种资源。

4.3 保护意识的逐渐提高

10 年来，通过每年的“世界湿地日”“爱鸟周”和“保护野生动物宣传月”等，邀请各类新闻媒体，组织开展形式多样、内容丰富的宣传教育活动，大力宣传湿地的功能、效益和湿地保护的重要意义，进一步提高了全社会的湿地保护意识，全省生物多样性水平日益丰富。

5 保护状况变化分析

5.1 保护面积变化

根据两次湿地调查的结果，全省 2000 年以前湿地保护面积 31.43 万公顷；到 2010 年，全省湿地保护面积达到 59.93 万公顷。本期调查新增保护区 17 个，增加保护面积 16.61 万公顷；新增湿地公园 5 个，增加保护面积 0.28 万公顷；新增湿地保护小区 3 个，新增保护面积 0.09 万公顷，新增其他保护形式的保护面积 11.52 万公顷。10 年间，累计新增保护面积 28.50 万公顷(表 5-15)。

表 5-15 辽宁省两次湿地保护状况表(公顷，个)

项 目	合 计	保护区			湿地公园			湿地保护小区		其他保护形式
		湿地面积	国家	地方	湿地面积	国家	地方	面积	数量	
第一次	314324.43	280633.97	5	7						33690.46
本次	599314.7	446777.59	5	24	2793.99	1	4	864.01	3	148879.11
差值	284990.27	166143.62	0	17	2793.99	1	4	864.01	3	115188.65

5.2 保护工作软环境变化

5.2.1 湿地保护工作愈加重视

近年来，党中央、国务院及各级地方政府对湿地保护工作高度重视。2004 年 6 月，国务院办公厅发布《关于加强湿地保护管理的通知》(国办发〔2004〕50 号)。《通知》明确指出，健康的湿地生态系统，是国家生态安全体系的重要组成部分和经济社会可持续发展的重要基础，要求各地必须牢固树立科学的发展观，坚持经济发展与生态保护相协调，正确处理好湿地保护与开发利用、近期利益与长远效益的关系，绝不能以破坏湿地资源、牺牲生态为代价换取短期经济利益。要把加强湿地保护，恢复湿地功能，作为改善生态状况和全面建设小康社会的一件大事，予以高度重视，并切实抓紧抓好。国务院办公厅《通知》的下发是中国政府第一次就湿地保护作出的政策声明，表明湿地保护已经纳入国家议事日程。同年国家林业局在北京召开"全国湿地保护管理工作会议"，这是国家林业局第一次就湿地保护召开的高规格会议，湿地保护工作迎来了新的发展机遇。辽宁省政府 2002 年下发了《关于进一步加强全省湿地保护工作的通知》(辽政办发〔2002〕91 号)，贯彻落实《中国湿地保护行动计划》，实施湿地可持续发展战略，使全省湿地资源得以快速恢复和发展。

5.2.2　管理职责更加明晰

2007 年 7 月，辽宁省颁布了《辽宁省湿地保护条例》，结束了全省湿地保护工作无法可依的局面，标志着全省湿地保护管理工作纳入了法制轨道。2007 年 11 月 27 日，经辽宁省机构编制委员会办公室批准，辽宁省湿地保护中心成立。省湿地中心的成立，使湿地管理归口到统一协调机构，管理职责更加明晰。

5.2.3　湿地保护宣教工作产生了良好的社会影响

第一次湿地调查以前，湿地保护与合理利用的宣传教育相对滞后，宣传教育工作的广度、深度不够，力度不大。公众对湿地的概念不甚清楚，对湿地的价值缺乏认识，对湿地对人类社会的生存发展的重要性不甚了解，湿地的保护意识普遍淡薄。进入 2000 年以后，根据《湿地公约》的要求，国家每年组织开展"世界湿地日"宣传活动，按照公约确定的"世界湿地日"主题，主动与各新闻媒体等单位合作，通过专题撰文、拍摄电视专题片、印发宣传招贴画等方式，大力宣传了湿地保护的重要意义。辽宁省以每年"世界湿地日""爱鸟周"等为契机，大力宣传湿地保护的重大意义，让更多的群众投入到湿地保护的队伍中来，努力营造良好的湿地资源保护社会氛围。通过宣传，提高了全省各界湿地保护意识，了解湿地保护的重要意义，有力地推动了湿地保护工作。

第六章 湿地保护与管理

第一节 湿地保护管理现状

1 保护现状

辽宁省湿地总面积 139.48 万公顷，其中采取保护措施的湿地面积 59.93 万公顷，占湿地总面积的 42.97%；湿地保护率为 42.97%(表 6-1)。

表 6-1 辽宁省受保护湿地面积及比例

未保护湿地		受保护湿地		合 计	
面积(公顷)	比例(%)	面积(公顷)	比例(%)	面积(公顷)	比例(%)
795449.92	57.03	599314.7	42.97	1394764.62	100.00

2 保护方式

辽宁省湿地资源受保护面积 59.93 万公顷，其中受自然保护区保护的湿地面积 44.67 万公顷，占 74.54%；受自然保护小区保护的湿地面积 0.09 万公顷，占 0.14%；受湿地公园保护的湿地面积 0.28 万公顷，占 0.47%；采取其他保护形式(包括湿地多用途管理区、海洋特别保护区、水源保护区等)保护的湿地面积 14.89 万公顷，占 24.85%。全省湿地保护的方式是以建立自然保护区为主。各级自然保护区、保护小区和湿地公园的建设，有效地遏制了对湿地资源的不合理利用与肆意破坏，保护了湿地生物的栖息地、繁殖地，丰富了湿地生态系统的生态多样性、生物多样性和遗传多样性，促进了湿地生态服务功能的发挥。自然保护区、保护小区和湿地公园的建设对维护生态系统平衡、促进人与自然和谐，做出了重要贡献(表 6-2)。

表 6-2 辽宁省各种保护形式保护湿地面积统计

湿地保护形式	面积(公顷)	比例(%)
自然保护区	446777.59	74.54
自然保护小区	864.01	0.14
湿地公园	2793.99	0.47
其他保护形式	148879.11	24.85
合 计	599314.7	100

在全省 14 个市中，湿地保护面积最大的为丹东市。丹东市拥有辽宁鸭绿江口国家级湿地保护区、丹东玉龙湖市级自然保护区、丹东红铜沟鹭鸟市级自然保护区、凤城蒲石河市级自然保护区、丹东双江河市级自然保护区等 5 个自然保护区，对湿地资源进行了有效的保护。经本次调查，丹东鸭绿江口国家级湿地保护区面积 12.13 万公顷(保护区经国务院批准 10.10 万公顷)，自建立国家级自然保护区以来，为保护亚太地区迁徙水鸟作出了积极努力。盘锦市湿地保护面积全省第二。盘锦市湿地资源丰富，拥有 24.96 万公顷湿地，被誉为“湿地之都”，其中的辽宁双台河口国家级自然保护区面积达 12.8 万公顷，是目前世界上保存最好、面积最大、植被类型最完整的湿地生态区域，为全省乃至全国的湿地保护工作树立了良好的形象(表 6-3)。

表 6-3 辽宁省各市湿地保护状况(公顷)

市	湿地总面积	保护面积	未受保护面积
沈阳市	86132.74	20335.4	65797.34
大连市	358265.57	99264.68	259000.89
鞍山市	32978.85	21744.81	11234.04
抚顺市	16953.48	6653.54	10299.94
本溪市	23932.54	14432.64	9499.9
丹东市	174910.89	149643.86	25267.03
锦州市	115672.34	97509.02	18163.32
营口市	110110.13	13643.18	96466.95
阜新市	23434.74	3418.07	20016.67
辽阳市	15250.92	6795.06	8455.86
铁岭市	29006.84	10956.98	18049.86
朝阳市	28168.07	9975.63	18192.44
盘锦市	249559.49	124469.36	125090.13
葫芦岛市	130388.02	20472.47	109915.55
合 计	1394764.62	599314.7	795449.92

数据统计截至 2010 年年底。

3 法律体系

2007 年 7 月 27 日，辽宁省第十届人民代表大会常务委员会第三十二次会议通过《辽宁省湿地保护条例》(以下简称《条例》)，于 2007 年 10 月 1 日正式实施。《条例》对湿地保护范围进行了科学的界定，强化了各级政府对湿地保护的责任，管理体制更加清晰，湿地保护措施更加详实具体。《条例》的颁布实施，结束了全省湿地保护无法可依的局面，解决了在湿地保护中存在的突出问题和关键环节，对推动全社会共同参与湿地保护，促进湿地资源健康、持续发展，提供了法律保障。

4 组织体系

2008 年 1 月，辽宁省湿地保护中心的正式挂牌，标志着全省湿地保护体系建设有了一个新的起点，它的成立将在今后的湿地保护工作中发挥重要作用。省湿地保护中心具体职责为参与研究制定全省湿地保护及开发利用规划，定期对全省湿地保护规划的实施情况进行监督检查；参与研究提出全省重要湿地名录和相关申报工作；研究拟定湿地保护的有关技术标准和规范；组织全省湿地资源调查，建立湿地资源档案；依据《条例》行使处罚权等。辽宁省湿地保护中心成立后，省辖市丹东市、辽阳市、营口市、盘锦市、本溪市相继成立了市级保护中心，其他各市也正在积极筹备。各级湿地保护中心的成立使湿地保护体系建设不断完善，湿地保护力量不断加强，对今后湿地保护工作起到重要的推动作用，产生深远的影响。

第二节 湿地保护管理建议

1 加强监督保证体系建设

湿地保护是一项涉及面广、社会性强的系统工程，涉及政府多个部门和行业，关系多方的利益，需要各级政府、各部门和全社会的共同努力。因此，要坚持经济发展与湿地保护相协调的原则，严格实行统一管理、依法管理、科学管理。按照《条例》的要求，建立强有力的湿地保护组织管理体系和有效的协调机制，强化监督保证体系建设。建立联合执法和执法监督的体制，大力提高管理能力和水平。面对当前湿地权属多样化的局面，探索和完善对湿地开发利用项目的立项、审批制度，逐步建立起完善的湿地保护法治体系。

2 加快《条例》的政策法规制度等配套体系建设

从湿地保护的立法现状来看，目前国家层面只有国家林业局 2013 年 3 月发布的《湿地保护管理规定》(国家林业局令第 32 号)，湿地保护方面的综合性法律法规仍然欠缺。现有的多部法律法规虽然涉及与湿地资源有关的规定，比如《中华人民共和国环境保护法》《中华人民共和国森林法》《中华人民共和国野生动物保护法》《自然保护区条例》等，但是存在着概念不统一、有些具体规定不一致，以及与生态环境保护需要不适应等问题。辽宁省于2007年10月1日起实施《辽宁省湿地保护条例》，对促进湿地保护具有重要影响力。《条例》明确了以保护为本的指导思想，坚持在保护中发展，在发展中保护，以严格保护来规范利用行为，以科学利用来巩固保护成果，把湿地保护纳入可持续发展道路。因此，各级政府和相关部门要依据《条例》制定详实的实施办法，出台有关湿地综合管理、环境保护、生物多样性保护、开发利用等配套的政策制度，使湿地保护工作切实做到有章可循、有法可依，切实走上法制化的轨道。

3 加快湿地保护工程体系建设力度

(1)突出重点，加强湿地保护、治理和恢复示范项目建设：当前在经济高速发展的同时，人类对湿地利用强度有所增加，湿地损失和退化严重。因此，加强湿地重建，恢复退化的生态系统对保护湿地和维护湿地的生态系统平衡具有十分重要的意义。从全省湿地的实际情况出发，研究并揭示各类湿地退化及其逆转的过程与机理，完善恢复与重建的技术，在全面规划湿地保护、恢复、合理利用的基础上，对重要湿地，尤其是国际重要湿地和国家重要湿地进行重点保护建设，在一些典型和急需的湿地区域优先安排保护、治理和恢复项目建设，起到示范带动作用。规划在2011~2015年期间对辽宁省西北部康平卧龙湖、獾子洞，中部辽中仙子湖，东部鸭绿江中游丹东段(宽甸—振安区)，南部营口永远角和辽河口周围共6500公顷湿地进行湿地生态恢复工程建设。通过建设，将使湿地资源得到更好的保护与恢复，维护生物多样性，并极大地改善区域生态环境。

(2)加强水资源综合管理工程建设：针对湿地水资源状况不断恶化的局面，制定湿地保护的宏观水资源管理战略框架，指导今后湿地保护与水资源综合管理实践。以全省56个重点调查湿地为先行，找出存在的问题，探讨解决问题的途径与方法，开展管理示范，以切实解决当前湿地缺水和水污染等普遍存在的问题，建立符合实际的水量补充、水质恢复等水资源与湿地保护的综合管理技术和管理机制，有效维持湿地生态功能，确保发挥湿地的功能效益。

(3)开展专项治理整顿工程建设：联合有关部门，在全省范围内开展专项治理整顿工程建设，对违规、违法占用湿地行为，予以坚决取缔，并责令恢复。

(4)强化湿地自然保护区和湿地公园建设，增加湿地保护面积：2004年，国务院办公厅发布的《关于加强湿地保护管理的通知》(国办发[2004]50号)指出，进一步提高认识，把湿地保护作为改善生态的重要任务来抓，采取多种形式，加快推进自然湿地的抢救性保护。《通知》明确提出要从抢救性保护的要求出发，按照有关法律法规，采取积极措施在适宜地区抓紧建立一批各种级别的湿地自然保护区(表6-4)。同时对不具备条件划建自然保护区的，也要因地制宜，采取建立各种类型湿地公园等多种形式加强保护管理。采取有力措施，积极推进抢救性保护，在湿地脆弱区抢救性地建立一批自然保护区和湿地公园，以增加湿地保护面积，促进湿地资源健康发展，已成为辽宁省当前湿地保护工作的重中之重。

表 6-4 拟建立自然保护区、湿地公园名录(公顷)

<table>
<tr><th>序号</th><th>拟建类型</th><th>湿地名称</th><th>湿地资源面积</th><th>所属行政区</th><th>已列规划名称</th></tr>
<tr><td>1</td><td rowspan="3">自然保护区</td><td>瓦房店三台湿地</td><td>6805.19</td><td>瓦房店市</td><td></td></tr>
<tr><td>2</td><td>庄河滨海湿地</td><td>123629.63</td><td>庄河市</td><td></td></tr>
<tr><td></td><td>小 计</td><td>136750.88</td><td></td><td></td></tr>
<tr><td>3</td><td rowspan="7">湿地公园</td><td>观音阁水库湿地</td><td>5272.25</td><td>本溪县</td><td>辽宁省“十二五”湿地保护规划</td></tr>
<tr><td>4</td><td>铁甲水库湿地</td><td>1766.91</td><td>东港市</td><td>辽宁省“十二五”湿地保护规划</td></tr>
<tr><td>5</td><td>浑河辽阳段湿地</td><td>3287.58</td><td>灯塔市</td><td>辽宁省“十二五”湿地保护规划</td></tr>
<tr><td>6</td><td>营口永远角湿地</td><td>454.68</td><td>西市区</td><td>辽宁省“十二五”湿地保护规划</td></tr>
<tr><td>7</td><td>辽阳太子河城市段湿地</td><td>2000</td><td>文圣区、太子河区</td><td></td></tr>
<tr><td>8</td><td>丹东东港合隆水库群湿地</td><td>5600</td><td>东港市</td><td></td></tr>
<tr><td></td><td>小 计</td><td>18381.42</td><td></td><td></td></tr>
<tr><td colspan="3">合 计</td><td>149366.91</td><td></td><td></td></tr>
</table>

4 加强科技和监测评价体系

加强湿地科学研究是认识和了解湿地的主要途径，也是促进湿地保护和可持续利用发展的重要保证。目前，辽宁省在湿地基础研究方面相当薄弱，应通过基础研究和应用研究，全面、深入、系统地了解湿地类型、特征、功能、价值、动态变化等。选择具有典型性和代表性的湿地类型，在那些基本保持原貌、生物多样性丰富、资源配置合理、结构完善、功能效益发挥良好、开发利用具有代表性的重点湿地或受到破坏威胁较重的湿地建立生态监测站，负责重点湿地自然环境、生物多样性、社会经济状况、开发利用及威胁情况等信息的收集与监测工作，为湿地的保护和合理利用提供背景资料和奠定科学基础。建立湿地质量、功能和效益评价指标体系，完善湿地保护与合理利用的技术推广管理机制和组织体系，广泛开展湿地保护、湿地资源合理利用、湿地综合管理等方面的技术推广与交流，引进、推广、应用先进的湿地生物多样性保护、污染控制等技术，大力提高湿地保护的科技水平。

5 建立湿地信息管理系统 加强湿地资源数字化体系建设

湿地资源信息是保护和恢复湿地工作开展的基础，加强湿地资源数字化体系建设是湿地保护的重要保障。采用地理信息系统技术，基于 ArcGIS 软件，将调查所得的辽宁省湿地空间数据作为对象，建立起集知识、模型和决策为一体的辽宁省湿地基础信息系统，实现空间数据的处理、管理、查询、输出、图形图像显示等功能。以数据库技术、地理信息系统技术、遥感技术和计算机网络技术为核心，研建一个能满足湿地各相关专业和相关工程需要的信息系统，把我省现有的基础地理信息数据、遥感数据、湿地资源监测数据等纳入系统内，可最大限度地满足林业生态建设的需要，并能满足今后数据库实时更新的需求。湿地资源基础信息平台应与国家林业局“全国湿地资源管理信息系统”的资源平台接轨。

6　加大湿地保护资金投入　实施湿地生态补偿制度

湿地保护是跨部门、多学科、综合性的系统工程，因而其投入也具有多渠道、多元化、多层次的特点。政府投入是湿地保护资金来源的主渠道，各级政府要将湿地保护纳入国民经济与社会发展规划之中，保证湿地保护资金的落实。开展湿地生态效益补偿试点工作，明确责任主体、利益主体，探索建立湿地生态效益补偿机制。

7　科学处理湿地保护与利用的关系　促进可持续发展

湿地是人类的资源宝库，同时又是一个脆弱的生态系统。当前在开发利用的进程中，应把重点放在对湿地资源的保护上，坚持湿地经济发展以湿地生态保护为前提，坚持“以保护求持续发展，以发展促环境保护”的湿地发展战略。各级政府应正确处理湿地保护与利用的关系，探索湿地生态经济的发展模式，促进湿地资源可持续发展。

附录1 辽宁湿地调查区域植物名录

序号	科	属	种	
			中文名	拉丁名
一、苔藓植物				
1	柳叶藓科	镰刀藓属	大镰刀藓	*Drepanocladus exannulatus*
2			浮生镰刀藓	*Drepanocladus fluitans*
3			镰刀藓	*Drepanocladus aduncus*
4		湿源藓属	大叶湿原藓	*Calliergon giganteum*
5		水灰藓属	褐黄水灰藓	*Hygrophypnum ochraceum*
6	钱苔科	浮苔属	浮苔	*Ricciocarpus natans*
7		钱苔属	叉钱苔	*Riccia fluitans*
8		湿生苔属	湿生苔	*Eremonotus myriocarpus*
9	水藓科	水藓属	鳞叶水藓	*Fontinalis squamosa*
10			柔枝水藓	*Fontinalis hypnoides*
11			水藓	*Fontinalis antipyretica*
二、维管束植物				
（一）蕨类植物				
1	金星蕨科	沼泽蕨属	沼泽蕨	*Thelypteris palustris*
2	满江红科	满江红属	满江红	*Azolla imbricata*
3	木贼科	木贼属	木贼	*Equisetum hyemale*
4			问荆	*Equisetum arvense*
5	水龙骨科	石韦属	石韦	*Pyrrosia lingua*
6	铁角蕨科	过山蕨属	过山蕨	*Camptosorus sibiricus*
（二）被子植物				
1	百合科	百合属	卷丹	*Lilium lancifolium*
2		黄精属	玉竹	*Polygonatum odoratum*
3	败酱科	败酱属	败酱	*Patrinia scabiosaefolia*
4		缬草属	缬草	*Valeriana officinalis*
5	报春花科	点地梅属	点地梅	*Androsace umbellata*
6		海乳草属	海乳草	*Glaux maritima*
7		珍珠菜属	黄连花	*Lysimachia davurica*
8			狭叶珍珠菜	*Lysimachia pentapetala*
9	车前科	车前属	车前	*Plantago asiatica*
10			大车前	*Plantago major*
11	车前科		平车前	*Plantago depressa*
12	柽柳科	柽柳属	柽柳	*Tamarix chinensis*

（续）

序号	科	属	种	
			中文名	拉丁名
13	唇形科	薄荷属	东北薄荷	*Mentha sachalinensis*
14		地笋属	地笋	*Lycopus lucidus*
15		水棘针属	水棘针	*Amethystea caerulea*
16		水苏属	华水苏	*Stachys chinensis*
17			水苏	*Stachys japonica*
18		夏至草属	夏至草	*Lagopsis supina*
19		香茶菜属	毛叶香茶菜	*Rabdosia japonicus*
20		香薷属	香薷	*Elsholtzia ciliata*
21		益母草属	大花益母草	*Leonurus macranthus*
22			益母草	*Leonurus artemisia*
23		紫苏属	紫苏	*Perilla frutescens*
24	茨藻科	茨藻属	草茨藻	*Najas graminea*
25			大茨藻	*Najas marina*
26			小茨藻	*Najas minor*
27	大戟科	地锦属	地锦	*Euphorbia humifusa*
28		铁苋菜属	铁苋菜	*Acalypha australis*
29	灯心草科	灯心草属	灯心草	*Juncus effusus*
30			栗花灯心草	*Juncus castaneus*
31			细茎灯心草	*Juncus gracilcaulis*
32			小灯心草	*Juncus bufonius*
33			长苞灯心草	*Juncus leucomelas*
34			针灯心草	*Juncus wallichianus*
35	豆科	豇豆属	贼小豆	*Vigna minima*
36		草木犀属	草木犀	*Melilotus officinalis*
37		车轴草属	白车轴草	*Trifolium repens*
38		刺槐属	刺槐	*Robinia pseudoacacia*
39		大豆属	野大豆	*Glycine soja*
40		葛属	葛	*Pueraria lobata*
41		合欢属	合欢	*Albizia julibrissin*
42		合萌属	合萌	*Aeschynomene indica*
43		胡枝了属	多花胡枝子	*Lespedeza floribunda*
44			胡枝子	*Lespedeza bicolor*
45			阴山胡枝子	*Lespedeza inschanica*
46		黄耆属	草木犀状黄耆	*Astragalus melilotoides*
47			华黄耆	*Astragalus chinensis*
48		鸡眼草属	鸡眼草	*Kummerowia striata*
49		决明属	含羞草决明	*Cassia mimosoides*

（续）

序号	科	属	种	
			中文名	拉丁名
50	豆科	两型豆属	三仔两型豆	*Amphicarpaea trisperma*
51		米口袋属	少花米口袋	*Gueldenstaedtia verna*
52		苜蓿属	花苜蓿	*Melissitus rutenica*
53			天蓝苜蓿	*Medicago lupulina*
54			紫苜蓿	*Medicago sativa*
55		山黧豆属	海滨山黧豆	*Lathyrus japonicus*
56		野豌豆属	山野豌豆	*Vicia amoena*
57			歪头菜	*Vicia unijuga*
58		紫穗槐属	紫穗槐	*Amorpha fruticosa*
59	浮萍科	浮萍属	浮萍	*Lemna minor*
60			稀脉浮萍	*Lemna perpusilla*
61		紫萍属	紫萍	*Spirodela polyrrhiza*
62	沟繁缕科	沟繁缕属	三蕊沟繁缕	*Elatine triandra*
63	谷精草科	谷精草属	长苞谷精草	*Eriocaulon decemflorum*
64	禾本科	白茅属	白茅	*Imperata cylindrica*
65		稗属	稗	*Echinochloa crusgalli*
66			水田稗	*Echinochloa oryzoides*
67		大麦属	芒颖大麦草	*Hordeum jubatum*
68		荻属	荻	*Triarrhena sacchariflora*
69		鹅观草属	鹅观草	*Roegneria kamoji*
70			纤毛鹅观草	*Roegneria ciliaris*
71			缘毛鹅观草	*Roegneria pendulina*
72		拂子茅属	大叶章	*Deyeuxia langsdorffii*
73			拂子茅	*Calamagrostis epigeios*
74			假苇拂子茅	*Calamagrostis pseudophragmites*
75			小叶章	*Deyeuxia angustifolia*
76		狗尾草属	狗尾草	*Setaria viridis*
77			金色狗尾草	*Setaria glauca*
78		菰属	菰	*Zizania latifolia*
79		虎尾草属	虎尾草	*Chloris virgata*
80		画眉草属	大画眉草	*Eragrostis cilianensis*
81			画眉草	*Eragrostis pilosa*
82			小画眉草	*Eragrostis minor*
83		剪股颖属	华北剪股颖	*Agrostis clavata*
84		碱茅属	朝鲜碱茅	*Puccinellia chinampoensis*
85			鹤甫碱茅	*Puccinellia hauptiana*
86			碱茅	*Puccinellia distans*

（续）

序号	科	属	种	
			中文名	拉丁名
87	禾本科		星星草	*Puccinellia tenuiflora*
88		结缕草属	结缕草	*Zoysia japonica*
89			中华结缕草	*Zoysia sinica*
90		荩草属	荩草	*Arthraxon hispidus*
91		看麦娘属	看麦娘	*Alopecurus aequalis*
92		赖草属	滨麦	*Leymus mollis*
93			羊草	*Leymus chinensis*
94		狼尾草属	狼尾草	*Pennisetum alopecuroides*
95		芦苇属	芦苇	*Phragmites australis*
96		马唐属	马唐	*Digitaria sanguinalis*
97			毛马唐	*Digitaria chrysoblephara*
98			止血马唐	*Digitaria ischaemum*
99		茅香属	光稃香草	*Hierochloe glabra*
100		牛鞭草属	牛鞭草	*Hemarthria altissima*
101		稗属	牛筋草	*Eleusine indica*
102		黍属	糠稷	*Panicum bisulcatum*
103		束尾草属	束尾草	*Phacelurus latifolius*
104		双稃草属	双稃草	*Diplachne fusca*
105		甜茅属	假鼠妇草	*Glyceria leptolepis*
106			狭叶甜茅	*Glyceria spiculosa*
107		菵草属	菵草	*Beckmannia syzigachne*
108		燕麦属	野燕麦	*Avena fatua*
109		野古草属	毛秆野古草	*Arundinella hirta*
110		莠竹属	柔枝莠竹	*Microstegium vimineum*
111		早熟禾属	草地早熟禾	*Poa pratensis*
112			硬质早熟禾	*Poa sphondylodes*
113			早熟禾	*Poa annua*
114			泽地早熟禾	*Poa palustris*
115		獐毛属	獐毛	*Aeluropus sinensis*
116	黑三棱科	黑三棱属	黑三棱	*Sparganium stoloniferum*
117			小黑三棱	*Sparganium simplex*
118	胡麻科	茶菱属	茶菱	*Trapella sinensis*
119	胡桃科	枫杨属	枫杨	*Pterocarya stenoptera*
120	葫芦科	盒子草属	盒子草	*Actinostemma tenerum*
121	虎耳草科	扯根菜属	扯根菜	*Penthorum chinense*
122		梅花草属	梅花草	*Parnassia palustris*
123	花蔺科	花蔺属	花蔺	*Butomus umbellatus*
124	花荵科	花荵属	花荵	*Polemonium coeruleum*

（续）

序号	科	属	种	
			中文名	拉丁名
125	桦木科	桦木属	白桦	*Betula platyphylla*
126		榛属	榛	*Corylus heterophylla*
127	槐叶苹科	槐叶苹属	槐叶苹	*Salvinia natans*
128	夹竹桃科	罗布麻属	罗布麻	*Apocynum venetum*
129	金鱼藻科	金鱼藻属	东北金鱼藻	*Ceratophyllum manschuricum*
130			金鱼藻	*Ceratophyllum demersum*
131			五刺金鱼藻	*Ceratophyllum oryzetorum*
132	堇菜科	堇菜属	紫花地丁	*Viola philippica*
133	锦葵科	木槿属	野西瓜苗	*Hibiscus trionum*
134		苘麻属	苘麻	*Abutilon theophrasti*
135	桔梗科	沙参属	轮叶沙参	*Adenophora tetraphylla*
136	菊科	白酒草属	加拿大蓬	*Erigeron canadensis*
137		苍耳属	苍耳	*Xanthium sibiricum*
138			偏基苍耳	*Xanthium inaequilaterum*
139		风毛菊属	京风毛菊	*Saussurea chinnampoensis*
140		狗舌草属	狗舌草	*Tephroseris kirilowii*
141		狗娃花属	狗娃花	*Heteropappus hispidus*
142		鬼针草属	大狼杷草	*Bidens frondosa*
143			金盏银盘	*Bidens biternata*
144			狼杷草	*Bidens tripartita*
145			小花鬼针草	*Bidens parviflora*
146		蒿属	白苞蒿	*Artemisia lactifolia*
147			白叶蒿	*Artemisia leucophylla*
148			红足蒿	*Artemisia rubripes*
149			黄花蒿	*Artemisia annua*
150			碱蒿	*Artemisia anethifolia*
151			辽东蒿	*Artemisia verbenacea*
152			蒌蒿	*Artemisia selengensis*
153			毛猪毛蒿	*Artemisia scoparia* var. *villosa*
154			蒙古蒿	*Artemisia mongolica*
155			牡蒿	*Artemisia japonica*
156			山蒿	*Artemisia brachyloba*
157			野艾蒿	*Artemisia lavandulaefolia*
158			茵陈蒿	*Artemisia capillaries*
159			猪毛蒿	*Artemisia scoparia*
160		和尚菜属	和尚菜	*Adenocaulon himalaicum*
161		黄瓜菜属	黄瓜菜	*Praixeris denticulata*
162		蓟属	刺儿菜	*Cirsium setosum*

（续）

序号	科	属	种	
			中文名	拉丁名
163	菊科	蓟属	烟管蓟	*Cirsium pendulum*
164			野蓟	*Cirsium maackii*
165		碱菀属	碱菀	*Tripolium vulgare*
166		菊属	野菊	*Dendranthema indicum*
167			紫花野菊	*Dendranthema zawadskii*
168		苦苣菜属	苦苣菜	*Sonchus oleraceus*
169		苦荬菜属	剪刀股	*Ixeris japonica*
170			沙苦荬菜	*Chorisis repens*
171			中华苦荬菜	*Ixeris chinensis*
172		马兰属	全叶马兰	*Kalimeris integrtifolia*
173			山马兰	*Kalimeris lautureana*
174		毛连菜属	日本毛连菜	*Picris japonica*
175		泥胡菜属	泥胡菜	*Hemistepta lyrata*
176		牛膝菊属	牛膝菊	*Galinsoga parviflora*
177		女菀属	女菀	*Turczaninowia fastigiata*
178		蒲公英属	斑叶蒲公英	*Taraxacum variegatum*
179			东北蒲公英	*Taraxacum ohwianum*
180			华蒲公英	*Taraxacum borealisinense*
181			辽东蒲公英	*Taraxacum liaotungense*
182			蒲公英	*Taraxacum mongolicum*
183		千里光属	多肉千里光	*Senecio pseudoarnica*
184			欧洲千里光	*Senecio vulgaris*
185			湿生千里光	*Senecio arcticus*
186		山莴苣属	山莴苣	*Lagedium sibiricum*
187		石胡荽属	石胡荽	*Centipeda minima*
188		豚草属	豚草	*Ambrosia artemisiifolia*
189		旋覆花属	欧亚旋覆花	*Inula britannica*
190			线叶旋覆花	*Inula linariaefolia*
191			旋覆花	*Inula japonica*
192		鸦葱属	华北鸦葱	*Scorzonera albicaulis*
193		紫菀属	紫菀	*Aster tataricus*
194	蓝雪科	补血草属	二色补血草	*Limonium bicolor*
195	狸藻科	狸藻属	狸藻	*Utricularia vulgaris*
196	藜科	滨藜属	滨藜	*Atriplex patens*
197		地肤属	地肤	*Kochia scoparia*
198		碱蓬属	碱蓬	*Suaeda glauca*
199			辽宁碱蓬	*Suaeda liaotungensis*
200			盐地碱蓬	*Suaeda salsa*

（续）

序号	科	属	种	
			中文名	拉丁名
201	藜科	藜属	刺藜	*Dysphania aristata*
202			灰绿藜	*Chenopodium glaucum*
203			藜	*Chenopodium album*
204			小藜	*Chenopodium serotinum*
205		盐角草属	盐角草	*Salicornia europaea*
206		猪毛菜属	无翅猪毛菜	*Salsola komarovii*
207			猪毛菜	*Salsola collina*
208	楝科	楝属	楝	*Melia azedarach*
209	蓼科	蓼属	萹蓄	*Polygonum aviculare*
210			糙毛蓼	*Polygonum strigosum*
211			春蓼	*Polygonum persisaria*
212			刺蓼	*Polygonum senticosum*
213			杠板归	*Polygonum perfoliatum*
214			红蓼	*Polygonum orientale*
215			戟叶蓼	*Polygonum thunbergii*
216			箭叶蓼	*Polygonum sieboldii*
217			两栖蓼	*Polygonum amphibium*
218			水蓼	*Polygonum hydropiper*
219			酸模叶蓼	*Polygonum lapathifolium*
220			西伯利亚蓼	*Polygonum sibiricum*
221			香蓼	*Polygonum viscosum*
222			小蓼	*Polygonum minus*
223			长戟叶蓼	*Polygonum maackianum*
224		酸模属	巴天酸模	*Rumex patientia*
225	菱科	菱属	格菱	*Trapa pseudoincisa*
226			丘角菱	*Trapa japonica*
227			细果野菱	*Trapa maximowiczii*
228	柳叶菜科	丁香蓼属	丁香蓼	*Ludwigia prostrata*
229		柳叶菜属	沼生柳叶菜	*Epilobium palustre*
230		月见草属	月见草	*Oenothera biennis*
231	龙胆科	莕菜属	莕菜	*Nymphoides peltatum*
232	萝藦科	鹅绒藤属	鹅绒藤	*Cynanchum chinense*
233			隔山消	*Cynanchum wilfordii*
234			徐长卿	*Cynanchum paniculatum*
235		杠柳属	杠柳	*Periploca sepium*
236		萝藦属	萝藦	*Metaplexis japonica*
237	马齿苋科	马齿苋属	马齿苋	*Portulaca oleracea*
238	牻牛儿苗科	老鹳草属	鼠掌老鹳草	*Geranium sibiricum*

（续）

序号	科	属	种	
			中文名	拉丁名
239	毛茛科	毛茛属	茴茴蒜	*Ranunculus chinensis*
240			毛茛	*Ranunculus japonicus*
241		升麻属	升麻	*Cimicifuga foetida*
242		唐松草属	唐松草	*Thalictrum aquilegiifolium*
243	木兰科	五味子属	五味子	*Schisandra chinensis*
244	葡萄科	葡萄属	山葡萄	*Vitis amurensis*
245	千屈菜科	千屈菜属	千屈菜	*Lythrum salicaria*
246	茜草科	拉拉藤属	北方拉拉藤	*Galium boreale*
247		茜草属	茜草	*Rubia cordifolia*
248	蔷薇科	地榆属	地榆	*Sanguisorba officinalis*
249		龙芽草属	龙芽草	*Agrimonia pilosa*
250		路边青属	路边青	*Geum aleppicum*
251		桃属	榆叶梅	*Amygdalus triloba*
252		委陵菜属	朝天委陵菜	*Potentilla supina*
253			蕨麻	*Potentilla anserina*
254			莓叶委陵菜	*Potentilla fragarioides*
255			匍枝委陵菜	*Potentilla flagellaris*
256			蛇含委陵菜	*Potentilla kleiniana*
257			委陵菜	*Potentilla chinensis*
258		悬钩子属	矛莓	*Rubus parvifolius*
259	茄科	曼陀罗属	曼陀罗	*Datura stramonium*
260		茄属	龙葵	*Solanum nigrum*
261	伞形科	当归属	拐芹	*Angelica polymorpha*
262		毒芹属	毒芹	*Cicuta virosa*
263		防风属	防风	*Saposhnikovia divaricata*
264		藁本属	岩茴香	*Ligusticum tachiroei*
265		茴香属	茴香	*Foeniculum vulgare*
266		窃衣属	小窃衣	*Torilis japonica*
267		珊瑚菜属	珊瑚菜	*Glehnia littoralis*
268		蛇床属	蛇床	*Cnidium monnieri*
269		水芹属	水芹	*Oenanthe javanica*
270		泽芹属	泽芹	*Sium suave*
271	桑科	葎草属	葎草	*Humulus scandens*
272	莎草科	荸荠属	槽秆荸荠	*Heleocharis mitracarpa*
273			牛毛毡	*Heleocharis yokoscensis*
274		扁莎属	槽鳞扁莎	*Pycreus korshinskyi*
275			球穗扁莎	*Pycreus globosus*
276		藨草属	扁杆藨草	*Scirpus planiculmis*

（续）

序号	科	属	种	
			中文名	拉丁名
277	莎草科	藨草属	水葱	*Scirpus validus*
278			萤蔺	*Scirpus juncoides*
279		飘拂草属	两歧飘拂草	*Fimbristylis dichotoma*
280		球柱草属	球柱草	*Bulbostylis barbata*
281			丝叶球柱草	*Bulbostylis densa*
282		莎草属	阿穆尔莎草	*Cyperus amuricus*
283			白鳞莎草	*Cyperus nipponicus*
284			扁穗莎草	*Cyperus compressus*
285			褐穗莎草	*Cyperus fuscus*
286			具芒碎米莎草	*Cyperus microiria*
287			三轮草	*Cyperus orthostachyus*
288			碎米莎草	*Cyperus iria*
289			头状穗莎草	*Cyperus glomeratus*
290			香附子	*Cyperus rotundus*
291		水莎草属	水莎草	*Juncellus serotinus*
292		水蜈蚣属	短叶水蜈蚣	*Kyllinga brevifolia*
293		薹草属	糙叶薹草	*Carex scabrifolia*
294			粗脉薹草	*Carex rugulosa*
295			假尖嘴薹草	*Carex laevissima*
296			膜囊薹草	*Carex vesicaria*
297			陌上菅	*Carex thunbergii*
298			筛草	*Carex kobomugi*
299			乌拉草	*Carex meyeriana*
300			无脉薹草	*Carex enervis*
301			异穗薹草	*Carex heterostachya*
302			翼果薹草	*Carex neurocarpa*
303	杉叶藻科	安息香属	杉叶藻	*Hippuris vulgaris*
304	十字花科	独行菜属	独行菜	*Lepidium apetalum*
305		焯菜属	风花菜	*Rorippa globosa*
306			广州焯菜	*Rorippa cantoniensis*
307			焯菜	*Rorippa indica*
308		荠属	荠	*Capsella bursa – pastoris*
309		碎米荠属	草甸碎米荠	*Cardamine pratensis*
310			水田碎米荠	*Cardamine lyrata*
311			碎米荠	*Cardamine hirsuta*
312		葶苈属	葶苈	*Draba nemorosa*
313	石竹科	鹅肠菜属	鹅肠菜	*Myosoton aquaticum*
314		繁缕属	繁缕	*Stellaria media*

（续）

序号	科	属	种	
			中文名	拉丁名
315	石竹科	繁缕属	细叶繁缕	*Stellaria filicaulis*
316			沼生繁缕	*Stellaria palustris*
317		拟漆姑属	拟漆姑	*Spergularia marina*
318	薯蓣科	薯蓣属	穿龙薯蓣	*Dioscorea nipponica*
319	水鳖科	黑藻属	黑藻	*Hydrilla verticillata*
320		苦草属	苦草	*Vallisneria natans*
321		水筛属	水筛	*Blyxa japonica*
322	水马齿科	水马齿属	沼生水马齿	*Callitriche palustris*
323	水麦冬科	水麦冬属	海韭菜	*Triglochin maritimum*
324			水麦冬	*Triglochin palustre*
325	天南星科	菖蒲属	菖蒲	*Acorus calamus*
326		水芋属	水芋	*Calla palustris*
327	卫矛科	卫矛属	卫矛	*Euonymus alatus*
328	苋科	青葙属	青葙	*Celosia argentea*
329		苋属	凹头苋	*Amaranthus lividus*
330			反枝苋	*Amaranthus retroflexus*
331	香蒲科	香蒲属	达香蒲	*Typha davidiana*
332			宽叶香蒲	*Typha latifolia*
333			水烛	*Typha angustifolia*
334			香蒲	*Typha orientalis*
335			小香蒲	*Typha minima*
336	小二仙草科	狐尾藻属	矮狐尾藻	*Myriophyllum humile*
337			狐尾藻	*Myriophyllum verticillatum*
338			穗状狐尾藻	*Myriophyllum spicatum*
339	玄参科	母草属	陌上菜	*Lindernia procumbens*
340		婆婆纳属	北水苦荬	*Veronica anagallis－aquatica*
341			东北婆婆纳	*Veronica rotunda* var. *sudintegra*
342		石龙尾属	石龙尾	*Limnophila sessiliflora*
343		通泉草属	通泉草	*Mazus japonicus*
344	旋花科	打碗花属	打碗花	*Calystegia hederacea*
345			肾叶打碗花	*Calystegia soldanella*
346		牵牛属	牵牛	*Pharbitis nil*
347		菟丝子属	菟丝子	*Cuscuta chinensis*
348	荨麻科	冷水花属	透茎冷水花	*Pilea pumila*
349		荨麻属	荨麻	*Urtica fissa*
350	鸭跖草科	水竹叶属	疣草	*Murdannia keisak*
351		鸭跖草属	鸭跖草	*Commelina communis*
352	眼子菜科	川蔓藻属	川蔓藻	*Ruppia maritima*

（续）

序号	科	属	种	
			中文名	拉丁名
353	眼子菜科	大叶藻属	矮大叶藻	*Zostera japonica*
354			大叶藻	*Zostera marina*
355		角果藻属	角果藻	*Zannichellia palustris*
356		眼子菜属	篦齿眼子菜	*Potamogeton pectinatus*
357			穿叶眼子菜	*Potamogeton perfoliatus*
358			南方眼子菜	*Potamogeton octandrus*
359			浮叶眼子菜	*Potamogeton natans*
360			光叶眼子菜	*Potamogeton lucens*
361			鸡冠眼子菜	*Potamogeton cristatus*
362			尖叶眼子菜	*Potamogeton oxyphyllus*
363			微齿眼子菜	*Potamogeton maackianus*
364			小眼子菜	*Potamogeton pusillus*
365			眼子菜	*Potamogeton distinctus*
366			竹叶眼子菜	*Potamogeton malaianus*
367			菹草	*Potamogeton crispus*
368	杨柳科	柳属	朝鲜柳	*Salix koreensis*
369			垂柳	*Salix babylonica*
370			蒙古柳	*Salix mongolica*
371			杞柳	*Salix integra*
372			小红柳	*Salix microstachya*
373			沼柳	*Salix kangensis*
374	罂粟科	白屈菜属	白屈菜	*Chelidonium majus*
375	雨久花科	凤眼蓝属	凤眼蓝	*Eichhornia crassipes*
376		雨久花属	鸭舌草	*Monochoria vaginalis*
377			雨久花	*Monochoria korsakowii*
378	鸢尾科	鸢尾属	马蔺	*Iris lactea* var. *chinensis*
379			玉蝉花	*Iris ensata*
380	泽泻科	慈姑属	剪刀草	*Sagittaria trifolia* var. *longiloba*
381		泽泻属	泽泻	*Alisma plantago-aquatica*
382	紫草科	附地菜属	附地菜	*Trigonotis peduncularis*
383		鹤虱属	鹤虱	*Lappula myosotis*
384		砂引草属	砂引草	*Messerschmidia sibirica*
385	酢浆草科	酢浆草属	酢浆草	*Oxalis corniculata*

附录2　辽宁湿地调查区域动物名录

序号	目	科	种	
			中文名	拉丁名
一、脊椎动物				
(一)鱼　类				
1	鮟鱇目	鮟鱇科	黄鮟鱇	*Lophius litulon*
2		蝙蝠鱼科	棘茄鱼	*Halieutaea stellata*
3	扁鲨目	扁鲨科	日本扁鲨	*Squatina japonica*
4	刺鱼目	刺鱼科	中华多刺鱼	*Pungitius sinensis*
5		海龙科	尖海龙	*Syngnathus acus*
6			日本海马	*Hippocampus japonicus*
7	灯笼鱼目	狗母鱼科	长蛇鲻	*Saurida elongata*
8	电鳐目	单鳍电鳐科	日本单鳍电鳐	*Narke japonica*
9	鲽形目	鲽科	钝吻黄盖鲽	*Pseudopleuronectes yokohamae*
10			高眼鲽	*Cleisthenes herzensteini*
11			尖吻黄盖鲽	*Pseudopleuronectes herzensteini*
12			木叶鲽	*Pleuronichthys cornutus*
13			石鲽	*Kareius bicoloratus*
14			圆斑星鲽	*Verasper variegatus*
15		舌鳎科	半滑舌鳎	*Cynoglossus semilaevis*
16			宽体舌鳎	*Cynoglossus robustus*
17			紫斑舌鳎	*Cynoglossus purpureomaculatus*
18		鳎科	带纹条鳎	*Zebrias zebra*
19		牙鲆科	桂皮斑鲆	*Pseudorhombus cinnamomeus*
20			褐牙鲆	*Paralichthys olivaceus*
21	鲱形目	鲱科	斑鰶	*Konosirus punctatus*
22			鳓	*Ilisha elongata*
23			青鳞鱼	*Harengula zunasi*
24			太平洋鲱	*Clupea pallasi*
25		鳀科	赤鼻棱鳀	*Thryssa kammalensis*
26			刀鲚	*Coilia ectenes*
27			凤鲚	*Coilia mystus*
28			黄鲫	*Setipinna taty*
29			鳀	*Engraulis japonicus*
30			中颌棱鳀	*Thryssa mystax*
31	鲼形目	鲼科	鸢鲼	*Myliobatis tobijei*
32		蝠鲼科	日本蝠鲼	*Mobula japonica*
33		魟科	赤魟	*Dasyatis akajei*
34			光魟	*Dasyatis laevigatus*

（续）

序号	科	属	种	
			中文名	拉丁名
35	鲼形目	魟科	奈氏魟	*Dasyatis navarrae*
36			中国魟	*Dasyatis sinensis*
37	鲑形目	鲑科	细鳞鲑	*Brachymystax lenok*
38		胡瓜鱼科	池沼公鱼	*Hypomesus olidus*
39		香鱼科	香鱼	*Plecoglossus altivelis*
40		银鱼科	安氏新银鱼	*Neosalanx anderssoni*
41			大银鱼	*Protosalanx chinensis*
42			乔氏新银鱼	*Neosalanx jordani*
43			有明银鱼	*Salanx ariakensis*
44	合鳃鱼目	合鳃鱼科	黄鳝	*Monopterus albus*
45	颌针鱼目	飞鱼科	匀色燕鳐	*Cypselurus heterurus*
46		颌针鱼科	尖嘴扁颌针鱼	*Ablennes anastomella*
47		鱵科	细下鱵	*Hyporhamphus sajori*
48	鳉形目	青鳉科	青鳉	*Oryzias latipes*
49	角鲨目	角鲨科	白斑角鲨	*Squalus acanthias*
50			短吻角鲨	*Squalus brevirostris*
51	鲤形目	鲤科	棒花鮈	*Gobio rivuloides*
52			棒花鱼	*Abbottina rivularis*
53			鳊	*Parabramis pekinensis*
54			彩石鳑鲏	*Rhodeus lighti*
55			𩾌	*Hemiculter leucisculus*
56			草鱼	*Ctenopharyngodon idellus*
57			赤眼鳟	*Squaliobarbus curriculus*
58			唇䱻	*Hemibarbus labeo*
59			大鳍鱊	*Acheilognathus macropterus*
60			东北雅罗鱼	*Leuciscus waleckii*
61			高体鳑鲏	*Rhodeus ocellatus*
62			革条副鱊	*Paracheilognathus himategus*
63			黑龙江鳑鲏	*Rhodeus sericeus*
64			黑鳍鳈	*Sarcocheilichthys nigripinnis*
65			红鳍鲌	*Culter erythropterus*
66			湖鲂	*Phoxinus percnurus*
67			花䱻	*Hemibarbus maculates*
68			花江鲂	*Phoxinus czekanowskii*
69			鲫	*Carassius auratus*
70			宽鳍鱲	*Zacco platypus*

（续）

序号	科	属	种	
			中文名	拉丁名
71	鲤形目	鲤科	拉氏鲅	*Phoxinus lagowskii*
72			鲤	*Cyprinus carpio*
73			鲢	*Hypophthalmichthys molitrix*
74			辽宁棒花鱼	*Abbottina liaoningensis* sp. nov
75			鲮	*Cirrhina molitorella*
76			马口鱼	*Opsariichthys bidens*
77			麦穗鱼	*Pseudorasbora parva*
78			潘氏鳅鮀	*Gobiobotia pappenheimi*
79			平口鮈	*Ladislavia taczanowskii*
80			翘嘴红鲌	*Erythroculter ilishaeformis*
81			青鱼	*Mylopharyngodon piceus*
82			三角鲂	*Megalobrama terminalis*
83			蛇鮈	*Saurogobio dabryi*
84			似鮈	*Pseudogobio vaillanti*
85			条纹似白鮈	*Paraleucogobio strigatus*
86			团头鲂	*Megalobrama amblycephala*
87			兴凯银鮈	*Squalidus chankaensis*
88			兴凯鱊	*Acheilognathus chankaensis*
89			鳙	*Aristichthys nobilis*
90			长吻䱻	*Hemibarbus longirostris*
91			中华鳑鲏	*Rhodeus sinensis*
92			中华细鲫	*Aphyocypris chinensis*
93		鳅科	北方花鳅	*Cobitis granoci*
94			北方条鳅	*Noemacheilus nudus*
95			泥鳅	*Misgurnus anguillicaudatus*
96			纵纹北鳅	*Lefua costata*
97	六鳃鲨目	六鳃鲨科	扁头哈那鲨	*Notorhynchus platycephalus*
98	鲈形目	鲅科	朝鲜马鲛	*Scombermorus koreanus*
99			康氏马鲛	*Scombermorus commersoni*
100			中华马鲛	*Scomberomorus sinensis*
101		鲳科	银鲳	*Pampus argenteus*
102		大眼鲷科	短尾大眼鲷	*Priacanthus macracanthus*
103		带鱼科	带鱼	*Trichiurus haumela*
104			小带鱼	*Trichiurus muticus*
105		弹涂鱼科	弹涂鱼	*Periophthalmus cantonensis*
106		鲷科	黑鲷	*Sparus macrocephalus*

（续）

序号	科	属	种	
			中文名	拉丁名
107	鲈形目		真鲷	*Pagrosomus major*
108		斗鱼科	圆尾斗鱼	*Macropodus chinensis*
109		方头鱼科	日本方头鱼	*Branchiostegus japonicus*
110		海鲫科	海鲫	*Ditrema temmincki*
111		蝴蝶鱼科	朴蝴蝶鱼	*Chaetodon modestus*
112		金钱鱼科	金钱鱼	*Scatophagus argus*
113		锦鳚科	方氏云鳚	*Enedrias fangi*
114			云鳚	*Enedrias nebulosus*
115		军曹鱼科	军曹鱼	*Rachycentron canadum*
116		鳢科	乌鳢	*Channa argus*
117		丽鱼科	莫桑比克罗非鱼	*Oreochromis mossambicus*
118			尼罗罗非鱼	*Oreochromis niloticus*
119		鳗虾虎鱼科	红狼牙虾虎鱼	*Odontamblyopus rubicundus*
120			小头栉孔虾虎鱼	*Ctenotrypauchen microcephalus*
121			中华栉孔虾虎鱼	*Ctenotrypauchen chinensis*
122		绵鳚科	绵鳚	*Zoarces elongatus*
123		旗鱼科	东方旗鱼	*Histiophorus orientalis*
124		鲯鳅科	鲯鳅	*Coryphaena linnaeus*
125		鮨科	斑鳜	*Siniperca scherzeri*
126			花鲈	*Lateolabrax japonicus*
127		鲭科	蓝点马鲛	*Scomberomorus niphonius*
128			鲐鱼	*Pneumatophorus japonicus*
129		鲹科	短吻丝鲹	*Alectis ciliaris*
130			黄条鰤	*Seriola aureovittata*
131			马拉巴裸胸鲹	*Caranx malabaricus*
132			长吻丝鲹	*Alectis indica*
133			竹荚鱼	*Trachurus japonicus*
134		石鲷科	斑石鲷	*Oplegnathus punctatus*
135			条石鲷	*Oplegnathus fasciatus*
136		石鲈科	横带髭鲷	*Hapalogenys mucronatus*
137			花尾胡椒鲷	*Plectorhynchus cinctus*
138			斜带髭鲷	*Hapalogenys nitens*
139		石首鱼科	白姑鱼	*Argyrosomus argentatus*
140			黑鳃梅童鱼	*Collichthys niveatus*
141			黄姑鱼	*Nibea albiflora*
142			棘头梅童鱼	*Collichthys lucidus*

（续）

序号	科	属	种	
			中文名	拉丁名
143	鲈形目	石首鱼科	叫姑鱼	*Johnius belengerii*
144			鮸	*Miichthys miiuy*
145			小黄鱼	*Pseudosciaena polyactis*
146		塘鳢科	暗色沙塘鳢	*Odontobutis obscurus*
147			葛氏鲈塘鳢	*Perccottus glehni*
148			黄黝鱼	*Hypseleotris swinhonis*
149		䲢科	青䲢	*Gnathagnus elogatus*
150			日本䲢	*Uranoscopus japonicus*
151		天竺鲷科	细条天竺鱼	*Apogonichthys lineatus*
152		鳚科	美鳚	*Dasson elegans*
153		乌鲳科	乌鲳	*Formio niger*
154		无齿鲳科	印度无齿鲳	*Ariomma indica*
155		鱚科	多鳞鱚	*Sillago sihama*
156		虾虎鱼科	暗缟虾虎鱼	*Tridentiger obscurus*
157			斑尾复虾虎鱼	*Synechogobius ommaturus*
158			带虾虎鱼	*Eutaeniichthys gilli*
159			竿虾虎鱼	*Luciogobius guttatus*
160			褐栉虾虎鱼	*Ctenogobius brunneus*
161			黄鳍刺虾虎鱼	*Acanthogobius flavimanus*
162			睛尾蝌蚪虾虎鱼	*Lophiogobius ocellicauda*
163			六丝矛尾虾虎鱼	*Chaeturichthys hexanema*
164			矛尾虾虎鱼	*Chaeturichthys stigmatias*
165			普栉虾虎鱼	*Ctenogobius giurinus*
166			纹缟虾虎鱼	*Tridentiger trigonocephalus*
167			钟馗虾虎鱼	*Triaenopogon barbatus*
168			棕刺虾虎鱼	*Acanthogobius luridus*
169		䲗科	短鳍䲗	*Callionymus kitaharae*
170			绯䲗	*Callionymus beniteguri*
171			李氏䲗	*Callionymus richardsoni*
172		䲟科	短䲟	*Remora remora*
173			䲟	*Echeneis naucrates*
174		玉筋鱼科	玉筋鱼	*Ammodytes personatus*
175	鳗鲡目	海鳗科	海鳗	*Muraenesox cinereus*
176		鳗鲡科	鳗鲡	*Anguilla japonica*
177	鲇形目	鲿科	黄颡鱼	*Pelteobagrus fulvidraco*
178			乌苏里鮠	*Leiocassis ussuriensis*

（续）

序号	科	属	种	
			中文名	拉丁名
179	鲇形目	海鲇科	硬头海鲇	*Arius leiotetocephalus*
180			中华海鲇	*Arius sinensis*
181		鲇科	怀头鲇	*Silurus soldatovi*
182			鲇	*Silurus asotus*
183	鲭鲨目	姥鲨科	姥鲨	*Cetorhinus maximus*
184		鲭鲨科	噬人鲨	*Carcharodon carcharias*
185		锥齿鲨科	欧氏锥齿鲨	*Carcharias owstoni*
186	鲀形目	刺鲀科	六斑刺鲀	*Diodon holacanthus*
187		单角鲀科	绿鳍马面鲀	*Thamnaconus modestus*
188		三刺鲀科	短吻三刺鲀	*Tricanthus brevirostris*
189		鲀科	暗纹东方鲀	*Takifugu obscurus*
190			豹纹东方鲀	*Fugu pardalis*
191			虫纹东方鲀	*Takifugu vermicularis*
192			红鳍东方鲀	*Fugu rubripes*
193			假睛东方鲀	*Fugu pseudommus*
194			菊黄东方鲀	*Fugu flavidus*
195			墨绿东方鲀	*Fugu basilevskianus*
196			铅点东方鲀	*Takifugu alboplumbeus*
197			条东方鲀	*Takifugu zanthopterus*
198			星点东方鲀	*Takifugu niphobles*
199			月腹刺鲀	*Gastrophysus lunaris*
200			紫色东方鲀	*Fugu porphyreus*
201	鲟形目	鲟科	中华鲟	*Acipenser sinensis*
202	鳐形目	犁头鳐科	颗粒犁头鳐	*Scobatus granulatus*
203			许氏犁头鳐	*Rhinobatos schlegeli*
204		团扇鳐科	中国团扇鳐	*Platyrhina sinensis*
205		鳐科	华鳐	*Raja chinensis*
206			孔鳐	*Raja porosa*
207	银汉鱼目	银汉鱼科	白氏银汉鱼	*Allanetta bleekeri*
208	银鲛目	银鲛科	黑线银鲛	*Chimaera phantasma*
209	鲉形目	豹鲂鮄科	单棘豹鲂鮄	*Daicocus peterseni*
210		毒鲉科	鬼鲉	*Inimicus japonicus*
211			无备虎鲉	*Minous inermis*
212		杜父鱼科	松江鲈	*Trachidermus fasciatus*
213			小杜父鱼	*Cottiusculus gonez*
214			杂色杜父鱼	*Cottus poecilopus*

（续）

序号	科	属	种	
			中文名	拉丁名
215	鲉形目	魴鮄科	短鳍红娘鱼	*Lepidotrigla micropterus*
216			绿鳍鱼	*Chelidonichthys kumu*
217		六线鱼科	斑头鱼	*Agrammus agrammus*
218			大泷六线鱼	*Hexagrammos otakii*
219		前鳍鲉科	虻鲉	*Erisphex potti*
220		狮子鱼科	细纹狮子鱼	*Liparis tanakae*
221			赵氏狮子鱼	*Liparis choanus*
222		鲬科	鳄鲬	*Cociella crocodilus*
223			鲬	*Platycephalus indicus*
224		鲉科	褐菖鲉	*Sebastiscus marmoratus*
225			花斑平鲉	*Sebastes nigricans*
226			铠平鲉	*Sebastes hubbsi*
227			许氏平鲉	*Sebastes schlegeli*
228	真鲨目	猫鲨科	阴影绒毛鲨	*Cephaloscyllium umbratile*
229		双髻鲨科	路氏双髻鲨	*Sphyrna lewini*
230		真鲨科	黑印真鲨	*Carcharhinus menisorrah*
231			尖头斜齿鲨	*Scoliodon sorrakowah*
232			阔口真鲨	*Carcharhinus latistomus*
233		皱唇鲨科	白斑星鲨	*Mustelus manazo*
234			灰星鲨	*Mustelus griseus*
235			皱唇鲨	*Triakis scyllium*
236	鲻形目	魣科	油魣	*Sphyraena pinguis*
237		鲻科	鲻	*Mugil cephalus*
（二）两栖类				
1	无尾目	蟾蜍科	大蟾蜍	*Bufo bufo*
2			花背蟾蜍	*Bufo raddei*
3			史式蟾蜍	*Bufo stejnegeri*
4			中华蟾蜍	*Bufo gargarizans*
5		姬蛙科	北方狭口蛙	*Kaloula borealis*
6		铃蟾科	东方铃蟾	*Bombina orientalis*
7		蛙科	东北粗皮蛙	*Rana rugosa schlegel*
8			黑斑蛙	*Rana nigromaculata*
9			黑龙江林蛙	*Rana amurensis boulenger*
10			桓仁林蛙	*Rana huanrenensis*
11			中国林蛙	*Rana chensinensis david*
12		雨蛙科	无斑雨蛙	*Hyla immaculate*
13	有尾目	小鲵科	东北小鲵	*Hynobius leechii*

（续）

序号	科	属	种	
			中文名	拉丁名
14	有尾目	小鲵科	极北鲵	*Salamandrella keyserlingii*
15			爪鲵	*Onychodactylus fischeri*
（三）爬行类				
1	龟鳖目	鳖科	鳖	*Pelodiscus sinensis*
（四）鸟　类				
1	䴙䴘目	䴙䴘科	赤颈䴙䴘	*Podiceps grisegena*
2			角䴙䴘	*Podiceps auritus*
3			凤头䴙䴘	*Podiceps cristatus*
4			黑颈䴙䴘	*Podiceps nigricollis*
5			小䴙䴘	*Tachybaptus ruficollis*
6	佛法僧目	翠鸟科	普通翠鸟	*Alcedo atthis*
7		翡翠科	蓝翡翠	*Halcyon pileata*
8		鱼狗科	冠鱼狗	*Ceryle lugubrus*
9	鹳形目	鹳科	东方白鹳	*Ciconia boyciana*
10			黑鹳	*Ciconia nigra*
11		鹮科	［黑头］白鹮	*Threskiornis melanocephalus*
12			白琵鹭	*Platalea leucorodia*
13			黑脸琵鹭	*Platalea minor*
14		鹭科	白鹭	*Egretta garzetta*
15			苍鹭	*Ardea cinerea*
16			草鹭	*Ardea purpurea*
17			池鹭	*Ardeola bacchus*
18			大白鹭	*Egretta alba*
19			大麻鳽	*Botaurus stellaris*
20			黄苇鳽	*Ixobrychus sinensis*
21			黄嘴白鹭	*Egretta eulophotes*
22			栗苇鳽	*Ixobrychus cinnamomeus*
23			绿鹭	*Butorides striatus*
24			牛背鹭	*Bubulcus ibis*
25			夜鹭	*Nycticorax nycticorax*
26			中白鹭	*Egretta intermedia*
27			紫背苇鳽	*Ixobrychus eurhythmus*
28	鹤形目	鹤科	白鹤	*Grus leucogeranus*
29			白头鹤	*Grus monacha*
30			白枕鹤	*Grus vipio*
31			丹顶鹤	*Grus japonensis*
32			灰鹤	*Grus grus*

（续）

序号	科	属	种	
			中文名	拉丁名
33	鹤形目		蓑羽鹤	*Anthropoides virgo*
34		秧鸡科	白骨顶	*Fulica atra*
35			白胸苦恶鸟	*Amaurornis phoenicurus*
36			斑胁田鸡	*Porzana paykullii*
37			董鸡	*Gallicrex cinerea*
38			黑水鸡	*Gallinula chloropus*
39			姬田鸡	*Porzana parva*
40			普通秧鸡	*Rallus aquaticus*
41			小田鸡	*Porzana pusilla*
42			红胸田鸡	*Porzana fusca*
43			花田鸡	*Porzana exquisite*
44	鸻形目	瓣蹼鹬科	红颈瓣蹼鹬	*Phakaropus lobatus*
45			灰瓣蹼鹬	*Phalaropus fulicarius*
46		彩鹬科	彩鹬	*Rostratula benghalensis*
47		反嘴鹬科	反嘴鹬	*Recurvirostra avosetta*
48			黑翅长脚鹬	*Himantopus himantopus*
49			鹮嘴鹬	*Ibidorhyncha struthersii*
50		海雀科	斑海雀	*Brachyramphus marmoratus*
51			扁嘴海雀	*Synthiboramphus antiquus*
52			角嘴海雀	*Cerorhinca monocerata*
53		鸻科	凤头麦鸡	*Vanellus vanellus*
54			环颈鸻	*Charadrius alexandrinus*
55			灰斑鸻	*Pluvialis squatarola*
56			灰头麦鸡	*Vanellus cinereus*
57			剑鸻	*Charadrius hiaticula*
58			金[斑]鸻	*Pluvialis fulva*
59			金眶鸻	*Charadrius dubius*
60			蒙古沙鸻	*Charadrius mongolus*
61			铁嘴沙鸻	*Charadrius leschenaultii*
62			长嘴剑鸻	*Charadrius placidus*
63		蛎鹬科	蛎鹬	*Haematopus ostralegus*
64		鸥科	海鸥	*Larus canus*
65			黑尾鸥	*Larus crassirostris*
66			黑嘴鸥	*Larus saundersi*
67			红嘴鸥	*Larus ridibundus*
68			灰背鸥	*Larus schistisagus*

（续）

序号	科	属	种	
			中文名	拉丁名
69	鸻形目	鸥科	三趾鸥	*Rissa tridactyla*
70			楔尾鸥	*Rhodostethia rosea*
71			遗鸥	*Larus relictus*
72			银鸥	*Larus argentatus*
73			渔鸥	*Larus ichthyaetus*
74		燕鸻科	普通燕鸻	*Glareola maldivarum*
75		燕鸥科	白翅浮鸥	*Chlidonias leucoptera*
76			白额燕鸥	*Sterna albifrons*
77			红嘴巨鸥	*Sterna caspia*
78			鸥嘴噪鸥	*Gelochelidon nilotica*
79			普通燕鸥	*Sterna hirundo*
80			须浮鸥	*Chlidonias hybrida*
81		鹬科	白腰草鹬	*Tringa ochropus*
82			白腰杓鹬	*Numenius arquata*
83			斑尾塍鹬	*Limosa lapponica*
84			半蹼鹬	*Limnodromus semipalmatus*
85			大滨鹬	*Calidris tenuirostris*
86			大沙锥	*Gallinago megala*
87			翻石鹬	*Arenaria interpres*
88			孤沙锥	*Gallinago solitaria*
89			黑腹滨鹬	*Calidris alpina*
90			黑尾塍鹬	*Limosa limosa*
91			红腹滨鹬	*Calidris canutus*
92			红脚鹤鹬	*Tringa erythropus*
93			红脚鹬	*Tringa totanus*
94			红胸滨鹬	*Calidris ruficollis*
95			红腰杓鹬	*Numenius madagascariensis*
96			灰尾漂鹬	*Heteroscelus brevipes*
97			灰鹬	*Tringa incana*
98			矶鹬	*Tringa hypoleucos*
99			尖尾滨鹬	*Calidris acuminata*
100			阔嘴鹬	*Limicola falcinellus*
101			林鹬	*Tringa glareola*
102			翘嘴鹬	*Xenus cinereus*
103			青脚鹬	*Tringa nebularia*
104			丘鹬	*Scolopax rusticola*

（续）

序号	科	属	种	
			中文名	拉丁名
105	鸻形目	鹬科	三趾滨鹬	*Crocethia alba*
106			扇尾沙锥	*Gallinago gallinago*
107			弯嘴滨鹬	*Calidris ferruginea*
108			乌脚滨鹬	*Calidris temminckii*
109			小滨鹬	*Calidris minuta*
110			小青脚鹬	*Tringa guttifer*
111			小杓鹬	*Numenius minutus*
112			泽鹬	*Tringa stagnatilis*
113			长趾滨鹬	*Calidris subminuta*
114			针尾沙锥	*Gallinago stenura*
115			中杓鹬	*Numenius phaeopus*
116	潜鸟目	潜鸟科	白嘴潜鸟	*Gavia adamsii*
117			红喉潜鸟	*Gavia stellata*
118			太平洋潜鸟	*Gavia pacifica*
119	隼形目	鹗科	鹗	*Pandion haliatus*
120	鹈形目	鸬鹚科	[普通]鸬鹚	*Phalacrocorax carbo*
121			斑头(绿)鸬鹚	*Phalacrocorax capillatus*
122			海鸬鹚	*Phalacrocorax pelagicus*
123			红脸鸬鹚	*Phalacrocorax urile*
124	雁形目	鸭科	白额雁	*Anser albifrons*
125			白眉鸭	*Anas querquedula*
126			斑背潜鸭	*Aythya marila*
127			斑脸海番鸭	*Melanitta fusca*
128			斑头秋沙鸭	*Mergellus albellus*
129			斑嘴鸭	*Anas poecilorhyncha*
130			赤颈鸭	*Anas penelope*
131			赤麻鸭	*Tadorna ferruginea*
132			赤膀鸭	*Anas strepera*
133			丑鸭	*Histrionicus histrionicus*
134			大天鹅	*Cygnus cygnus*
135			豆雁	*Anser fabalis*
136			凤头潜鸭	*Aythya fuligula*
137			黑雁	*Branta bernicla*
138			红头潜鸭	*Aythya ferina*
139			红胸秋沙鸭	*Mergus serrator*
140			鸿雁	*Anser cygnoides*

（续）

序号	科	属	种	
			中文名	拉丁名
141	雁形目	鸭科	花脸鸭	*Anas formosa*
142			灰雁	*Anser anser*
143			罗纹鸭	*Anas falcata*
144			绿翅鸭	*Anas crecca*
145			绿头鸭	*Anas platyrhynchos*
146			琵嘴鸭	*Anas clypeata*
147			普通秋沙鸭	*Mergus merganser*
148			翘鼻麻鸭	*Tadorna tadorna*
149			青头潜鸭	*Aythya baeri*
150			鹊鸭	*Bucephala clangula*
151			小白额雁	*Anser erythropus*
152			小天鹅	*Cygnus columbianus*
153			疣鼻天鹅	*Cygnus olor*
154			鸳鸯	*Aix galericulata*
155			长尾鸭	*Clangula hyemalis*
156			针尾鸭	*Anas acuta*
157			中华秋沙鸭	*Mergus squamatus*
（五）哺乳类				
1	鲸目	鼠海豹科	江豚	*Neophocaena phocaenoides*
2	鳍脚目	海豹科	斑海豹	*Phoca largha*
二、无脊椎动物				
1	蚶目	蚶科	毛蚶	*Scapharca subcrenata*
2	口足目	虾蛄科	虾蛄	*Oratosquilla oratoria*
3	帘蛤目	帘蛤科	青蛤	*Cyclina sinensis*
4			日本镜蛤	*Dosinia japonica*
5			文蛤	*Meretrix meretrix*
6		竹蛏科	缢蛏	*Sinonovacula constricta*
7	牡蛎目	牡蛎科	牡蛎	*Concha ostreae*
8	十足目	对虾科	对虾	*Penaeus orientalis*
9		方蟹科	中华绒螯蟹	*Eriocheir sinensis*
10		蝼蛄虾科	大蝼蛄虾	*Upogebia major*
11		匙指虾科	中华新米虾	*Neocaridina denliculata sinensis*
12		梭子蟹科	三疣梭子蟹	*Portunus trituberculatus*
13		长臂虾科	白虾	*Palaemon carinicauda*
14			河虾	*Macrobranchium nipponense*
15	珍珠贝目	扇贝科	栉孔扇贝	*Chlamys farreri*
16	中腹足目	玉螺科	方斑玉螺	*Naticarius onca*

附录3　辽宁重点调查湿地概况

1. 辽宁大连斑海豹国家级自然保护区

辽宁大连斑海豹国家级自然保护区重点调查湿地范围面积67.23万公顷，湿地面积7.16万公顷，主要湿地类型为近海与海岸湿地（和人工湿地）。地理坐标为东经120°50′～121°58′，北纬38°5′～40°14′；位于瓦房店市、金州区、甘井子区、旅顺口区内。

调查中记录到湿地高等植物3门27科63属85种。

记录到国家重点保护野生植物1种，为国家Ⅱ级保护野生植物。

湿地植被可划分为2个植被型组，3个植被型，4个群系。

调查中记录到湿地脊椎动物4纲21目56科125种。其中，鱼类16目43科70种，两栖类1目1科1种，鸟类3目11科53种，哺乳类1目1科1种。

记录到国家重点保护野生动物4种。其中，国家Ⅰ级保护野生动物1种，国家Ⅱ级保护野生动物3种，有湿地鸟类3种。

于1992年9月成立自然保护区，1997年12月经国务院批准晋升为国家级自然保护区，2002年被列入《国际重要湿地名录》。受大连市海洋与渔业局管理，成立了辽宁大连斑海豹国家级自然保护区管理局。

主要受到污染、过度捕捞和采集等威胁。

2. 辽宁双台河口国家级自然保护区（现辽宁辽河口国家级自然保护区）

辽宁双台河口国家级自然保护区重点调查湿地范围面积12.80万公顷（2010年12月底，经国家林业局批准，保护区面积调整为8万公顷），湿地面积10.52万公顷，主要湿地类型为近海与海岸湿地、河流湿地、沼泽湿地以及人工湿地。地理坐标为东经121°31′～122°01′，北纬40°45′～41°13′；位于盘山县、大洼县内。

调查中记录到湿地高等植物3门57科144属225种。

记录到国家重点保护野生植物1种，其中，国家Ⅱ级保护野生植物1种。

湿地植被可划分为2个植被型组，2个植被型，4个群系。

调查中记录到湿地脊椎动物4纲26目79科250种。其中，鱼类16目52科111种，两栖类1目5科8种，鸟类8目21科130种，哺乳类1目1科1种。

记录到国家重点保护野生动物24种。其中，国家Ⅰ级保护野生动物7种，国家Ⅱ级保护野生动物17种。在国家重点保护野生动物中，有湿地鸟类22种。其中，国家Ⅰ级保护鸟类7种，国家Ⅱ级保护鸟类15种。

于1985年成立自然保护区，1987年经辽宁省人民政府批准为省级自然保护区，1988年经国务院批准晋升为国家级自然保护区，1996年加入“东亚及澳大利西亚涉禽迁徙航道保护区网络”，2002年被纳入“东北亚鹤类保护网络”，2005年被列入《国际重要湿地名录》。受盘锦市政府管理，成立了辽宁双台河口国家级自然区保护管理局。

主要受到围垦、污染以及其他威胁因子等威胁。

3. 丹东鸭绿江口湿地国家级自然保护区

丹东鸭绿江口湿地国家级自然保护区重点调查湿地范围面积12.13万公顷(2012年8月底，经国务院批准保护区面积由10.10万公顷调整为8.14万公顷)，湿地面积12.13万公顷，主要湿地类型为近海与海岸湿地(和河流湿地、沼泽湿地以及人工湿地)。地理坐标为东经123°30′~124°10′，北纬39°37′~39°59′；位于东港市内。

调查中记录到湿地高等植物3门57科137属223种。

记录到国家重点保护野生植物1种，其中，国家Ⅱ级保护野生植物1种。

湿地植被可划分为1个植被型组，2个植被型，2个群系。

调查中记录到湿地脊椎动物3纲24目76科232种，其中，鱼类16目53科116种，两栖类1目4科6种，鸟类7目19科110种。

记录到国家重点保护野生动物18种，其中，国家Ⅰ级保护野生动物4种，国家Ⅱ级保护野生动物14种。在国家重点保护野生动物中，有湿地鸟类17种。其中，国家Ⅰ级保护鸟类4种，国家Ⅱ级保护鸟类13种。

于1987年成立自然保护区，1995年经辽宁省人民政府批准为省级自然保护区，1997年经国务院批准晋升为国家级自然保护区，2000年被《中国湿地保护行动计划》列为国家重要湿地，受丹东市环境保护局管理，成立了丹东鸭绿江口湿地国家级自然保护区管理局。

主要受到围垦、污染等威胁。

4. 辽宁蛇岛老铁山国家级自然保护区

辽宁蛇岛老铁山国家级自然保护区重点调查湿地范围面积0.91万公顷，湿地面积0.07万公顷，主要湿地类型为近海与海岸湿地(和人工湿地)。地理坐标为东经121°12′~121°16′，北纬38°46′~38°48′；位于旅顺口区内。

调查中记录到湿地高等植物3门32科82属109种。

湿地植被可划分为2个植被型组，3个植被型，3个群系。

调查中记录到湿地脊椎动物3纲25目63科193种。其中，鱼类18目47科97种，两栖类1目1科1种，鸟类6目15科95种。

记录到国家重点保护野生动物9种。其中，国家Ⅰ级保护野生动物2种，国家Ⅱ级保护野生动物7种。在国家重点保护野生动物中，有湿地鸟类9种。其中国家Ⅰ级保护鸟类2种，国家Ⅱ级保护鸟类7种。

于1980年经国务院批准建立的野生动物类型保护区，是辽宁省环保系统建立的第一个国家级自然保护区。受大连市环境保护局管理，成立了辽宁蛇岛老铁山国家级自然保护区管理局。

主要受到非法狩猎的威胁。

5. 辽宁仙人洞国家级自然保护区

辽宁仙人洞国家级自然保护区重点调查湿地范围面积0.36万公顷，湿地面积0.02万公顷，主要湿地类型为河流湿地。地理坐标为东经122°57′~123°01′，北纬40°00′~40°02′；位于庄河市内。

调查中记录到湿地高等植物3门38科100属147种。国家重点保护野生植物1种，为国家Ⅱ级保护野生植物。

湿地植被可划分为2个植被型组，2个植被型，2个群系。

调查中记录到湿地脊椎动物3纲14目31科90种。其中，鱼类7目15科37种，两栖类2目6科10种，鸟类5目10科43种。

记录到国家重点保护野生动物1种，为国家Ⅱ级保护野生动物，湿地鸟类。

于1981年经辽宁省人民政府批准成立省级自然保护区，1992年经国务院批准晋升为国家级自然保护区。受大连市林业局管理，1996年成立了辽宁仙人洞国家级自然保护区管理处，2008年成立了辽宁仙人洞国家级湿地自然保护区管理局。

主要受到基建和城市化、污染等威胁。

6. 沈阳卧龙湖省级自然保护区

沈阳卧龙湖省级自然保护区重点调查湿地范围面积1.28万公顷，湿地面积0.65万公顷，主要湿地类型为湖泊湿地（和河流湿地、沼泽湿地），（湖泊为淡水湖）。地理坐标为东经123°09′~123°20′，北纬42°40′~42°47′；位于康平县内。

调查中记录到湿地高等植物3门54科136属225种。

记录到国家重点保护野生植物1种，为国家Ⅱ级保护野生植物。

湿地植被可划分为2个植被型组，4个植被型，6个群系。

调查中记录到湿地脊椎动物3纲14目33科133种。其中，鱼类8目16科43种，两栖类1目4科6种，鸟类5目13科84种。

记录到国家重点保护野生动物16种。其中，国家Ⅰ级保护野生动物6种，国家Ⅱ级保护野生动物10种。在国家重点保护野生动物中，有湿地鸟类15种，其中国家Ⅰ级保护鸟类5种，国家Ⅱ级保护鸟类10种。

于2001年经辽宁省人民政府批准成立沈阳卧龙湖省级自然保护区。受康平县人民政府管理，成立了康平县卧龙湖自然保护区管理办公室。

主要受到非法狩猎威胁。

7. 鞍山大麦科省级自然保护区

鞍山大麦科省级自然保护区重点调查湿地范围面积0.72万公顷，湿地面积0.27万公顷，主要湿地类型为河流湿地。地理坐标为东经122°12′~122°21′，北纬41°11′~41°20′；位于台安县内。

调查中记录到湿地高等植物3门52科132属209种。

记录到国家重点保护野生植物1种，为国家Ⅱ级保护野生植物。

湿地植被可划分为2个植被型组，3个植被型，3个群系。

调查中记录到湿地脊椎动物3纲14目30科125种。其中，鱼类7目15科42种，两栖类1目4科6种，鸟类6目11科77种。

记录到国家重点保护野生动物5种，均为国家Ⅱ级保护野生动物，湿地鸟类。

于2002年8月经台安县人民政府批准建立县级自然保护区，2005年4月，晋升为省级保护区。受鞍山市台安县林业局管理，成立了鞍山大麦科湿地自然保护区管理处。

主要受到围垦、污染等威胁。

8. 辽宁大伙房饮用水源保护区

辽宁大伙房饮用水源保护区重点调查湿地范围面积53万公顷，湿地面积0.62万公顷，主要湿地类型为人工湿地。地理坐标为东经124°05′～124°19′，北纬41°48′～41°57′；位于东洲区和抚顺县内。

调查中记录到湿地高等植物3门52科132属208种。

湿地植被可划分为1个植被型组，2个植被型，2个群系。

调查中记录到湿地脊椎动物3纲14目27科75种。其中，鱼类7目15科42种，两栖类1目3科4种，鸟类6目9科29种。

记录到国家重点保护野生动物5种。其中，国家Ⅰ级保护野生动物3种，国家Ⅱ级保护野生动物2种。均为湿地鸟类。

于1990年成立辽宁省饮用水水源省级保护区。受辽宁省水利厅管理，成立了辽宁省大伙房水库管理局。

主要受到污染及其他威胁因子威胁。

9. 辽宁章古台省级自然保护区

辽宁章古台省级自然保护区(已晋升国家级)重点调查湿地范围面积1.02万公顷，湿地面积0.03万公顷，主要湿地类型为河流湿地(和人工湿地)。地理坐标为东经122°14′～122°34′，北纬42°34′～42°45′；位于彰武县内。

调查中记录到湿地高等植物3门56科128属191种。

湿地植被可划分为1个植被型组，3个植被型，4个群系。

调查中记录到湿地脊椎动物3纲12目28科82种。其中，鱼类7目15科42种，两栖类2目4科11种，鸟类3目9科29种。

记录到国家重点保护野生动物4种。其中，国家Ⅰ级保护野生动物2种，国家Ⅱ级保护野生动物2种，均为湿地鸟类。

于1986年12月成立辽宁章古台省级自然保护区，2012年晋升为国家级自然保护区。受彰武县林业局管理，成立了辽宁章古台省级自然保护区管理处。

主要受到过牧威胁。

10. 朝阳小凌河中华鳖省级自然保护区

朝阳小凌河中华鳖省级自然保护区重点调查湿地范围面积0.15万公顷，湿地面积0.15万公顷，主要湿地类型为河流湿地。地理坐标为东经119°59′~120°46′，北纬40°50′~41°25′；位于朝阳县内。

调查中记录到湿地高等植物3门56科141属222种。

湿地植被可划分为2个植被型组，4个植被型，8个群系。

调查中记录到湿地脊椎动物4纲14目28科119种。其中，鱼类7目15科42种，两栖类1目1科2种，爬行类1目1科1种，鸟类5目11科74种。

记录到国家重点保护野生动物1种，为国家Ⅰ级保护野生动物，湿地鸟类。

于1999年成立朝阳小凌河中华鳖省级自然保护区。受朝阳县水务局管理，成立了朝阳小凌河中华鳖省级自然保护区管理处。

主要受到过度捕捞和采集等威胁。

11. 凌源青龙河省级自然保护区

凌源青龙河省级自然保护区重点调查湿地范围面积6.99万公顷，湿地面积0.13万公顷，主要湿地类型为河流湿地(和沼泽湿地、人工湿地)。地理坐标为东经118°50′~119°32′，北纬40°36′~41°07′；位于凌源市内。

调查中记录到湿地高等植物3门种类48科120属187种。

记录到国家重点保护野生植物1种，为国家Ⅱ级保护野生植物。

湿地植被可划分为2个植被型组，4个植被型，8个群系。

调查中记录到湿地脊椎动物3纲11目21科67种。其中，鱼类7目15科42种，两栖类1目3科5种，鸟类3目3科20种。

记录到国家重点保护野生动物4种。其中，国家Ⅰ级保护野生动物1种，国家Ⅱ级保护野生动物3种，均为湿地鸟类。

于2001年成立凌源青龙河省级自然保护区。受凌源市人民政府管理，成立了凌源青龙河省级自然保护区管理处。

主要受到过度捕捞、采集等威胁。

12. 铁岭凡河省级自然保护区

铁岭凡河省级自然保护区重点调查湿地范围面积0.15万公顷，湿地面积0.15万公顷，主要湿地类型为河流湿地(和人工湿地)。地理坐标为东经123°37′~124°17′，北纬42°05′~42°17′；位于铁岭县内。

调查中记录到湿地高等植物2门32科80属105种。

记录到国家重点保护野生植物1种，为国家Ⅱ级保护野生植物。

湿地植被可划分为1个植被型组，2个植被型，2个群系。

调查中记录到湿地脊椎动物3纲14目25科81种。其中，鱼类7目15科42种，两栖类1目

4科6种，鸟类6目6科33种。

记录到国家重点保护野生动物3种。其中，国家Ⅰ级保护野生动物2种，国家Ⅱ级保护野生动物1种。均为湿地鸟类。

于2009年经辽宁省人民政府批准成立铁岭凡河省级自然保护区。受铁岭市林业局管理，成立了铁岭凡河省级自然保护区管理处。

主要受到污染、围垦、其他威胁因子等威胁。

13. 沈阳仙子湖市级自然保护区

沈阳仙子湖市级自然保护区重点调查湿地范围面积0.87万公顷，湿地面积0.44万公顷，主要湿地类型为河流湿地(和沼泽湿地、人工湿地)。地理坐标为东经122°47′~122°56′，北纬41°40′~41°47′；位于辽中县和新民市内。

调查中记录到湿地高等植物3门48科116属198种。

记录到国家重点保护野生植物1种，为国家Ⅱ级保护野生植物。

湿地植被可划分为2个植被型组，4个植被型，4个群系。

调查中记录到湿地脊椎动物3纲15目33科124种。其中，鱼类7目15科42种，两栖类1目4科6种，鸟类7目14科76种。

记录到国家重点保护野生动物9种。其中，国家Ⅰ级保护野生动物2种，国家Ⅱ级保护野生动物7种。均为湿地鸟类。

于2002年6月成立沈阳仙子湖市级自然保护区。受辽中县林业局管理，成立了沈阳市近海湖自然保护区管理处。

主要受到污染威胁。

14. 宽甸红铜沟鹭鸟市级自然保护区

宽甸红铜沟鹭鸟市级自然保护区重点调查湿地范围面积0.25万公顷，湿地面积35.94公顷，主要湿地类型为河流湿地。地理坐标为东经124°28′~124°39′，北纬40°28′~40°34′；位于宽甸县内。

调查中记录到湿地高等植物3门55科148属248种。

记录到国家重点保护野生植物1种，为国家Ⅱ级保护野生植物。

湿地植被可划分为2个植被型组，4个植被型，5个群系。

调查中记录到湿地脊椎动物3纲12目24科71种。其中，鱼类7目15科42种，两栖类2目6科9种，鸟类3目3科20种。

记录到国家重点保护野生动物1种，为国家Ⅱ级保护野生动物，湿地鸟类。

于2000年2月成立县级自然保护区，2002年1月经丹东市政府批准晋升为市级自然保护区。受宽甸县林业局管理，成立了宽甸县野生动植物保护管理站。

主要受到非法狩猎威胁。

15. 丹东双江河市级自然保护区

丹东双江河市级自然保护区重点调查湿地范围面积12.09万公顷，湿地面积0.27万公顷，主要湿地类型为河流湿地。地理坐标为东经124°30′~124°58′，北纬40°12′~40°29′；位于宽甸县内。

调查中记录到湿地高等植物3门52科130属216种。

记录到国家重点保护野生植物1种，为国家Ⅱ级保护野生植物。

湿地植被可划分为2个植被型组，4个植被型，5个群系。

调查中记录到湿地脊椎动物3纲15目28科97种。其中，鱼类7目15科42种，两栖类2目3科5种，鸟类6目10科50种。

记录到国家重点保护野生动物4种。其中，国家Ⅰ级保护野生动物1种，国家Ⅱ级保护野生动物3种。在国家重点保护野生动物中，有湿地鸟类3种。其中国家Ⅰ级保护鸟类1种，国家Ⅱ级保护鸟类2种。

于2000年成立丹东双江河市级自然保护区。受宽甸县林业局管理，成立了宽甸县野生动植物保护管理站。

主要受到森林过度采伐威胁。

16. 凤城蒲石河市级自然保护区

凤城蒲石河市级自然保护区重点调查湿地范围面积1.22万公顷，湿地面积0.001万公顷，主要湿地类型为河流湿地。地理坐标为东经124°14′~124°21′，北纬41°00′~41°06′；位于凤城市内。

调查中记录到湿地高等植物3门52科132属216种。

记录到国家重点保护野生植物1种，为国家Ⅱ级保护野生植物。

湿地植被可划分为1个植被型组，3个植被型，5个群系。

调查中记录到湿地脊椎动物3纲10目21科68种。其中，鱼类7目15科42种，两栖类2目5科7种，鸟类1目1科19种。

记录到国家重点保护野生动物1种。为国家Ⅰ级保护野生动物，湿地鸟类。

于2001年成立市级自然保护区。受凤城市林业局管理，成立了凤城市野生动植物保护管理站。

主要受到污染和其他威胁因子威胁。

17. 丹东玉龙湖市级自然保护区

丹东玉龙湖市级自然保护区重点调查湿地范围面积0.59万公顷，湿地面积0.07万公顷，主要湿地类型为人工湿地。地埋坐标为东经123°55′~123°58′，北纬40°09′~40°11′；位于凤城市内。

调查中记录到湿地高等植物3门57科150属248种。

记录到国家重点保护野生植物2种，为国家Ⅱ级保护野生植物。

湿地植被可划分为3个植被型组，5个植被型，6个群系。

调查中记录到湿地脊椎动物3纲10目19科64种。其中，鱼类7目15科42种，两栖类2目3科5种，鸟类1目1科17种。

记录到国家重点保护野生动物1种，为国家Ⅰ级保护野生动物，湿地鸟类。

于2001年经丹东市政府批准成立丹东玉龙湖湿地市级自然保护区。受凤城市林业局管理，成立了凤城市野生动植物保护管理站。

主要受到污染和其他威胁因子威胁。

18. 黑山绕阳河湿地市级自然保护区

黑山绕阳河湿地市级自然保护区重点调查湿地范围面积0.83万公顷，湿地面积0.36万公顷，主要湿地类型为河流湿地。地理坐标为东经121°47′~122°37′，北纬41°07′~41°52′；位于黑山县内。

调查中记录到湿地高等植物3门56科135属217种。

记录到国家重点保护野生植物1种，为国家Ⅱ级保护野生植物。

湿地植被可划分为2个植被型组，4个植被型，5个群系。

调查中记录到湿地脊椎动物3纲14目31科128种。其中，鱼类7目15科42种，两栖类1目4科6种，鸟类6目12科80种。

记录到国家重点保护野生动物12种。其中，国家Ⅰ级保护野生动物5种，国家Ⅱ级保护野生动物7种。均为湿地鸟类。

于2006年成立黑山绕阳河湿地县级自然保护区，2007年经锦州市政府批准晋升为市级保护区。受黑山县林业局管理，成立了黑山绕阳河湿地市级自然保护区管理处。

主要受到围垦、污染和其他威胁因子威胁。

19. 锦州凌河口湿地市级自然保护区

锦州凌河口湿地市级自然保护区重点调查湿地范围面积8.36万公顷，湿地面积9.31万公顷，主要湿地类型为近海与海岸湿地（和河流湿地、沼泽湿地、人工湿地）。地理坐标为东经121°00′~121°40′，北纬40°40′~41°00′；位于凌海市内。

调查中记录到湿地高等植物3门55科142属223种。

湿地植被可划分为4个植被型组，6个植被型，7个群系。

调查中记录到湿地脊椎动物3纲14目35科118种。其中，鱼类7目16科44种，两栖类1目4科6种，鸟类6目15科68种。

记录到国家重点保护野生动物7种。其中，国家Ⅰ级保护野生动物4种，国家Ⅱ级保护野生动物3种。均为湿地鸟类。

于2004年成立锦州凌河口湿地自然保护区，2005年经锦州市政府批准晋升为市级自然保护区。受凌海市林业局管理，成立了锦州凌河口湿地自然保护区管理处。

主要受到围垦威胁。

20. 辽阳汤河水库水源市级自然保护区

辽阳汤河水库水源市级自然保护区重点调查湿地范围面积0.15万公顷，湿地面积0.30万公顷，主要湿地类型为人工湿地。地理坐标为东经123°17′~123°24′，北纬40°59′~41°06′；位于辽阳县内。

调查中记录到湿地高等植物3门48科132属209种。

记录到国家重点保护野生植物1种，为国家Ⅱ级保护野生植物。

湿地植被可划分为1个植被型组，1个植被型，1个群系。

调查中记录到湿地脊椎动物3纲15目35科162种。其中，鱼类7目15科42种，两栖类1目2科4种，鸟类7目18科116种。

记录到国家重点保护野生动物3种。均为国家Ⅱ级保护野生动物，湿地鸟类。

于1986年9月，成立辽阳汤河水库水源市级自然保护区。受辽宁省水利厅管理，成立了辽宁省汤河水库管理局。

主要受到污染威胁。

21. 辽阳双河市级自然保护区

辽阳双河市级自然保护区重点调查湿地范围面积3.18万公顷，湿地面积0.32万公顷，主要湿地类型为人工湿地。地理坐标为东经123°28′~123°40′，北纬41°11′~41°18′；位于辽阳县内。

调查中记录到湿地高等植物3门48科132属209种。

记录到国家重点保护野生植物1种，为国家Ⅱ级保护野生植物。

湿地植被可划分为1个植被型组，1个植被型，1个群系。

调查中记录到湿地脊椎动物3纲15目35科165种。其中，鱼类7目15科42种，两栖类1目2科4种，鸟类7目18科119种。

记录到国家重点保护野生动物4种。其中，国家Ⅰ级保护野生动物1种，国家Ⅱ级保护野生动物3种。均为湿地鸟类。

于2002年4月成立辽阳双河市级自然保护区。受辽宁省水利厅管理，成立了辽宁省参窝水库管理局。

主要受到污染威胁。

22. 辽宁绥中王宝河市级自然保护区

绥中王宝河市级自然保护区重点调查湿地范围面积0.22万公顷，湿地面积0.03万公顷，主要湿地类型为河流湿地。地理坐标为东经120°06′~120°20′，北纬40°21′~40°23′；位于绥中县内。

调查中记录到湿地高等植物3门43科102属167种。

记录到国家重点保护野生植物1种，为国家Ⅱ级保护野生植物1种。

湿地植被可划分为2个植被型组，4个植被型，5个群系。

调查中记录到湿地脊椎动物3纲14目24科88种。其中，鱼类7目15科42种，两栖类1目2科4种，鸟类6目7科42种。

记录到国家重点保护野生动物1种，为国家Ⅱ级保护野生动物，湿地鸟类。

于1988年3月经绥中县政府批准建立县级自然保护区，1996年1月经葫芦岛市政府批准晋升为市级自然保护区。受绥中县环境保护局管理。

主要受到其他威胁因子威胁。

23. 葫芦岛六股河入海口滨海湿地市级自然保护区

葫芦岛六股河入海口滨海湿地市级自然保护区重点调查湿地范围面积0.10万公顷，湿地面积0.10万公顷，主要湿地类型为近海与海岸湿地(和人工湿地)。地理坐标为东经120°27′~120°30′，北纬40°16′~40°17′；位于绥中县内。

调查中记录到湿地高等植物3门43科102属165种。

记录到国家重点保护野生植物1种，为国家Ⅱ级保护野生植物。

湿地植被可划分为1个植被型组，1个植被型，1个群系。

调查中记录到湿地脊椎动物3纲19目57科152种。其中，鱼类13目41科73种，两栖类1目2科4种，鸟类5目14科75种。

记录到国家重点保护野生动物5种。其中，国家Ⅰ级保护野生动物2种，国家Ⅱ级保护野生动物3种。在国家重点保护野生动物中，有湿地鸟类4种。其中国家Ⅰ级保护鸟类1种，国家Ⅱ级保护鸟类3种。

于2006年7月成立葫芦岛六股河入海口滨海湿地市级自然保护区。受葫芦岛市林业局管理，成立了葫芦岛六股河入海口滨海湿地市级自然保护区管理办公室。

主要受到非法狩猎威胁。

24. 海城三岔河湿地县级自然保护区

海城三岔河湿地县级自然保护区重点调查湿地范围面积1.86公顷，湿地面积1.39万公顷，主要湿地类型为河流湿地(和沼泽湿地)。地理坐标为东经122°18′~122°41′，北纬40°54′~41°11′；位于海城市内。

调查中记录到湿地高等植物3门58科147属227种。

记录到国家重点保护野生植物1种，为国家Ⅱ级保护野生植物。

湿地植被可划分为2个植被型组，4个植被型，6个群系。

调查中记录到湿地脊椎动物3纲14目29科119种。其中，鱼类7目15科42种，两栖类1目4科6种，鸟类6目10科71种。

记录到国家重点保护野生动物4种。均为国家Ⅱ级保护野生动物，湿地鸟类。

于2004年成立海城三岔河湿地县级自然保护区。受鞍山市海城市林业局管理，成立了海城三岔河湿地县级自然保护区管理处。

主要受到围垦威胁。

25. 彰武那木斯莱县级自然保护区

彰武那木斯莱县级自然保护区重点调查湿地范围面积0.71万公顷，湿地面积0.01万公顷，主要湿地类型为湖泊湿地(湖泊为淡水)。地理坐标为东经122°44′~122°47′，北纬42°39′~42°41′；位于彰武县内。

调查中记录到湿地高等植物3门47科111属182种。

记录到国家重点保护野生植物1种，为国家Ⅱ级保护野生植物。

湿地植被可划分为1个植被型组，3个植被型，4个群系。

调查中记录到湿地脊椎动物3纲15目35科143种。其中，鱼类7目15科42种，两栖类2目6科11种，鸟类6目14科90种。

记录到国家重点保护野生动物11种。其中，国家Ⅰ级保护野生动物4种，国家Ⅱ级保护野生动物7种。均为湿地鸟类。

于1987年4月成立彰武那木斯莱县级自然保护区，2013年6月晋升为市级自然保护区，受彰武县环保局管理(2012年9月，划归彰武县林业局管理)，成立了彰武那木斯莱县级自然保护区管理站。

主要受到围垦威胁。

26. 昌图红山水库水源县级自然保护区

昌图红山水库水源县级自然保护区重点调查湿地范围面积1.05万公顷，湿地面积0.02万公顷，主要湿地类型为人工湿地。地理坐标为东经124°07′~124°09′，北纬42°52′~42°53′；位于昌图县内。

调查中记录到湿地高等植物3门48科93属145种。

记录到国家重点保护野生植物1种，为国家Ⅱ级保护野生植物。

湿地植被可划分为1个植被型组，2个植被型，2个群系。

调查中记录到湿地脊椎动物3纲11目20科64种。其中，鱼类7目15科42种，两栖类2目3科5种，鸟类2目2科17种。

于1993年成立了红山水库水源保护管理委员会。受昌图县水利局管理，成立了昌图红山水库管理站。

主要受到泥沙淤积威胁。

27. 朝阳苍鹭县级自然保护区

朝阳苍鹭县级自然保护区重点调查湿地范围面积0.38万公顷，湿地面积0.003万公顷，主要湿地类型为河流湿地。地理坐标为东经120°40′~120°42′，北纬41°14′~41°17′；位于朝阳县内。

调查中记录到湿地高等植物3门38科78属102种。

记录到国家重点保护野生植物1种，为国家Ⅱ级保护野生植物。

湿地植被可划分为1个植被型组，3个植被型，3个群系。

调查中记录到湿地脊椎动物3纲12目22科81种。其中，鱼类7目16科44种，两栖类1目2科4种，鸟类4目4科33种。

于2000年经朝阳县人民政府批准建立朝阳苍鹭县级自然保护区。受朝阳县林业局管理，成立了朝阳县野生动物保护站。

主要受到污染威胁。

28. 建昌宫山嘴苍鹭县级自然保护区

建昌宫山嘴苍鹭县级自然保护区重点调查湿地范围面积0.19万公顷，湿地面积0.06万公顷，主要湿地类型为人工湿地。地理坐标为东经 119°22′~119°46′，北纬 40°33′~40°52′；位于建昌县内。

调查中记录到湿地高等植物3门39科79属106种。

记录到国家重点保护野生植物1种，其中，国家Ⅱ级保护野生植物1种。

湿地植被可划分为1个植被型组，3个植被型，3个群系。

调查中记录到湿地脊椎动物3纲12目31科131种。其中，鱼类7目15科42种，两栖类1目4科6种，鸟类4目12科83种。

国家重点保护野生动物2种。均为国家Ⅱ级保护野生动物，湿地鸟类。

于2002年经建昌县人民政府批准成立建昌宫山嘴苍鹭县级自然保护区，受建昌县林业局管理，成立了建昌县野生动植物保护站。

主要受到污染、其他威胁因子的威胁。

29. 建昌六股河赤麻鸭、绿翅鸭县级自然保护区

建昌六股河赤麻鸭、绿翅鸭县级自然保护区重点调查湿地范围面积0.27万公顷，湿地面积0.09万公顷，主要湿地类型为河流湿地。地理坐标为东经 120°00′~120°03′，北纬 40°37′~40°57′；位于建昌县内。

调查中记录到湿地高等植物3门44科105属174种。

记录到国家重点保护野生植物1种，为国家Ⅱ级保护野生植物。

湿地植被可划分为1个植被型组，3个植被型，3个群系。

调查中记录到湿地脊椎动物3纲10目21科74种。其中，鱼类7目15科42种，两栖类1目4科6种，鸟类2目2科26种。

记录到国家重点保护野生动物1种。为国家Ⅱ级保护野生动物，湿地鸟类。

于2001年成立建昌六股河赤麻鸭、绿翅鸭县级自然保护区。受建昌县林业局管理，成立了建昌县野生动植物保护站。

主要受到污染威胁。

30. 彰武县阿尔乡湿地保护小区

彰武县阿尔乡湿地保护小区重点调查湿地范围面积0.60万公顷，湿地面积0.06万公顷，主要湿地类型为湖泊湿地(湖泊为淡水)。地理坐标为东经 122°21′~122°34′，北纬 42°46′~42°50′；位于彰武县内。

调查中记录到湿地高等植物3门50科118属181种。

记录到国家重点保护野生植物1种，其中，国家Ⅱ级保护野生植物1种。

湿地植被可划分为1个植被型组，3个植被型，4个群系。

调查中记录到湿地脊椎动物3纲15目32科105种，其中，鱼类7目15科42种，两栖类2目4科11种，鸟类6目13科52种。

记录到国家重点保护野生动物9种，其中，国家Ⅰ级保护野生动物4种，国家Ⅱ级保护野生动物5种。在国家重点保护野生动物中，有湿地鸟类9种，其中国家Ⅰ级保护鸟类4种，国家Ⅱ

级保护鸟类5种。

于2000年建立彰武县阿尔乡湿地保护小区，受彰武县林业局管理，成立了彰武县林业局野生动植物保护站。

主要受到其他威胁因子威胁。

31. 铁岭县鸴鹭湿地生态保护小区

铁岭县鸴鹭湿地生态保护小区重点调查湿地范围面积0.01万公顷，湿地面积0.01万公顷，主要湿地类型为人工湿地。地理坐标为东经123°37′~123°38′，北纬42°14′~42°15′；位于铁岭县内。

调查中记录到湿地高等植物3门32科76属101种。

记录到国家重点保护野生植物1种，为国家Ⅱ级保护野生植物。

湿地植被可划分为2个植被型组，4个植被型，4个群系。

调查中记录到湿地脊椎动物3纲10目21科62种。其中，鱼类7目15科42种，两栖类1目4科6种，鸟类2目2科14种。

于2008年建立铁岭县鸴鹭湿地生态保护小区。受铁岭县林业局管理，成立了铁岭县野生动植物保护站。

主要受到围垦威胁。

32. 铁岭县吊龙湾湿地保护小区

铁岭县吊龙湾湿地保护小区重点调查湿地范围面积0.02万公顷，湿地面积0.02万公顷，主要湿地类型为人工湿地。地理坐标为东经123°42′~123°44′，北纬42°19′~42°20′；位于铁岭县内。

调查中记录到湿地高等植物2门39科92属134种。

记录到国家重点保护野生植物1种，为国家Ⅱ级保护野生植物。

湿地植被可划分为2个植被型组，4个植被型，4个群系。

调查中记录到湿地脊椎动物3纲9目20科62种。其中，鱼类7目15科42种，两栖类1目4科6种，鸟类1目1科14种。

于2008年建立湿地保护小区。受铁岭县林业局管理，成立了铁岭县野生动植物保护站。

主要受到围垦威胁。

33. 辽宁铁岭莲花湖国家湿地公园

辽宁铁岭莲花湖国家湿地公园重点调查湿地范围面积0.42万公顷，湿地面积0.09万公顷，主要湿地类型为沼泽湿地(和人工湿地)。地理坐标为东经123°43′~123°46′，北纬42°13′~42°17′；位于铁岭县内。

调查中记录到湿地高等植物3门32科76属101种。

记录到国家重点保护野生植物1种，为国家Ⅱ级保护野生植物。

湿地植被可划分为1个植被型组，2个植被型，5个群系。

调查中记录到湿地脊椎动物3纲12目25科93种。其中，鱼类7目15科42种，两栖类2目

4科6种，鸟类4目6科45种。

记录到国家重点保护野生动物6种，均为国家Ⅱ级保护野生动物，湿地鸟类。

于2007年经国家林业局批准建立国家湿地公园。受铁岭市林业局管理，成立了铁岭市莲花湖湿地公园管理局。

主要受到基建和城市化威胁。

34. 沈阳市丁香湖湿地公园

沈阳市丁香湖湿地公园重点调查湿地范围面积0.03万公顷，湿地面积0.02万公顷，主要湿地类型为人工湿地。地理坐标为东经123°19′~123°20′，北纬41°51′~41°52′；位于于洪区内。

调查中记录到湿地高等植物3门31科71属106种。

记录到国家重点保护野生植物1种，为国家Ⅱ级保护野生植物。

湿地植被可划分为1个植被型组，2个植被型，3个群系。

调查中记录到湿地脊椎动物3纲6目10科32种。其中，鱼类1目1科6种，两栖类1目3科4种，鸟类4目6科22种。

记录到国家重点保护野生动物1种，为国家Ⅱ级保护野生动物，湿地鸟类。

于2008年经沈阳市人民政府批准为市级湿地公园。受沈阳市于洪区人民政府管理，成立了沈阳市丁香湖湿地公园管理处。

主要受到基建和城市化威胁。

35. 营口西炮台湿地公园

营口西炮台湿地公园重点调查湿地范围面积0.01万公顷，湿地面积0.01万公顷，主要湿地类型为沼泽湿地。地理坐标为东经122°09′~122°10′，北纬40°39′~40°40′；位于西市区内。

调查中记录到湿地高等植物3门47科95属147种。

记录到国家重点保护野生植物1种，为国家Ⅱ级保护野生植物。

湿地植被可划分为2个植被型组，2个植被型，2个群系。

调查中记录到湿地脊椎动物3纲11目19科60种。其中，鱼类5目8科32种，两栖类1目4科6种，鸟类5目7科22种。

记录到国家重点保护野生动物2种。均为国家Ⅱ级保护野生动物，湿地鸟类。

于2008年成立营口西炮台湿地公园。受营口市人民政府管理，成立了营口市高新区管理委员会。

主要受到基建和城市化威胁。

36. 盘锦辽河湿地公园

盘锦辽河湿地公园重点调查湿地范围面积0.48万公顷，湿地面积0.04万公顷，主要湿地类型为人工湿地(和河流湿地)。地理坐标为东经122°02′~122°05′，北纬41°10′~41°11′；位于双台区内。

调查中记录到湿地高等植物3门40科94属143种。

记录到国家重点保护野生植物1种，为国家Ⅱ级保护野生植物。

湿地植被可划分为1个植被型组，1个植被型，1个群系。

调查中记录到湿地脊椎动物3纲4目7科20种。其中，鱼类1目1科7种，两栖类1目3科5种，鸟类2目3科8种。

于2007年成立盘锦辽河湿地公园。受盘锦市城市建设管理局管理。

主要受到污染威胁。

37. 辽河湿地森林公园

辽河湿地森林公园重点调查湿地范围面积0.11万公顷，湿地面积0.11万公顷，主要湿地类型为河流湿地(和沼泽湿地)。地理坐标为东经121°49′~121°56′，北纬41°05′~41°09′；位于兴隆台区内。

调查中记录到湿地高等植物3门47科96属151种。

记录到国家重点保护野生植物1种，为国家Ⅱ级保护野生植物。

湿地植被可划分为1个植被型组，1个植被型，1个群系。

调查中记录到湿地脊椎动物3纲14目35科123种。其中，鱼类7目16科44种，两栖类1目4科6种，鸟类6目15科73种。

记录到国家重点保护野生动物14种。其中，国家Ⅰ级保护野生动物4种，国家Ⅱ级保护野生动物10种。均为湿地鸟类。

于2004年成立辽河湿地森林公园，为省级湿地森林公园。受辽宁省监狱管理局管理，成立了盘锦鼎翔集团辽河湿地森林公园管理处。

主要受到污染威胁。

38. 桓仁水库

桓仁水库重点调查湿地范围面积1.62万公顷，湿地面积0.75万公顷，主要湿地类型为人工湿地。地理坐标为东经125°24′~125°38′，北纬41°13′~41°22′；位于桓仁县内。

调查中记录到湿地高等植物3门54科136属212种。

湿地植被可划分为2个植被型组，3个植被型，5个群系。

调查中记录到湿地脊椎动物3纲12目24科68种。其中，鱼类9目18科46种，两栖类1目4科6种，鸟类2目2科16种。

记录到国家重点保护野生动物2种，为国家Ⅰ级保护野生动物，湿地鸟类。

桓仁水库重点调查湿地于1957年动工，于1967年竣工。受中国国电集团公司管理，管理机构为国电电力和禹水电开发公司。

主要受到污染威胁。

39. 水丰水库

水丰水库重点调查湿地范围面积2.14万公顷，湿地面积2.14万公顷，主要湿地类型为人工湿地。地理坐标为东经124°54′~125°42′，北纬40°26′~40°52′；位于宽甸县内。

调查中记录到湿地高等植物3门51科131属212种。

记录到国家重点保护野生植物1种，为国家Ⅱ级保护野生植物。

湿地植被可划分为1个植被型组，1个植被型，2个群系。

调查中记录到湿地脊椎动物3纲14目29科96种。其中，鱼类7目15科42种，两栖类1目4科6种，鸟类6目10科48种。

记录到国家重点保护野生动物4种。其中，国家Ⅰ级保护野生动物1种，国家Ⅱ级保护野生动物3种。均为湿地鸟类。

水丰水库重点调查湿地受辽宁省海洋与渔业厅管理，成立了辽宁省水丰水库边境渔政渔港监督管理局。

主要受到过度捕捞和采集威胁。

40. 清河水库

清河水库重点调查湿地范围面积0.44万公顷，湿地面积0.30万公顷，主要湿地类型为人工湿地。地理坐标为东经124°10′~124°21′，北纬42°30′~42°35′；位于清河区内。

调查中记录到湿地高等植物3门53科138属219种。

湿地植被可划分为2个植被型组，4个植被型，6个群系。

调查中记录到湿地脊椎动物3纲11目21科65种。其中，鱼类7目14科41种，两栖类1目4科6种，鸟类3目3科18种。

记录到国家重点保护野生动物1种，为国家Ⅱ级保护野生动物，湿地鸟类。

清河水库重点调查湿地受辽宁省水利厅管理，成立了辽宁省清河水库管理局。

主要受到其他威胁因子威胁。

41. 观音阁水库

观音阁水库重点调查湿地范围面积0.53万公顷，湿地面积0.53万公顷，主要湿地类型为人工湿地(和河流湿地)。地理坐标为东经124°04′~124°21′，北纬41°07′~41°28′；位于本溪县内。

调查中记录到湿地高等植物3门53科139属220种。

湿地植被可划分为1个植被型组，3个植被型，5个群系。

调查中记录到湿地脊椎动物3纲15目34科148种。其中，鱼类7目14科41种，两栖类1目4科6种，鸟类7目16科101种。

记录到国家重点保护野生动物9种。其中，国家Ⅰ级保护野生动物4种，国家Ⅱ级保护野生动物5种。均为湿地鸟类。

观音阁水库重点调查湿地受辽宁省水利厅管理，成立了辽宁省观音阁水库管理局。

主要受到其他威胁因子威胁。

42. 铁甲水库

铁甲水库重点调查湿地范围面积0.33万公顷，湿地面积0.18万公顷，主要湿地类型为人工湿地。地理坐标为东经124°04′~124°11′，北纬40°02′~40°06′；位于东港市内。

调查中记录到湿地高等植物3门39科92属142种。

记录到国家重点保护野生植物1种，为国家Ⅱ级保护野生植物。

湿地植被可划分为1个植被型组，2个植被型，2个群系。

调查中记录到湿地脊椎动物3纲9目20科66种，其中，鱼类7目15科42种，两栖类1目4科6种，鸟类1目1科18种。

记录到国家重点保护野生动物1种，为国家Ⅰ级保护野生动物，湿地鸟类。

铁甲水库重点调查湿地受东港市水利局管理，成立了东港市铁甲水库管理处。

主要受到森林过度采伐威胁。

43. 龙潭水库

龙潭水库重点调查湿地范围面积0.02万公顷，湿地面积0.01万公顷，主要湿地类型为人工湿地。地理坐标为东经120°26′~120°27′，北纬41°48′~41°50′；位于北票市内。

调查中记录到湿地高等植物3门40科94属143种。

记录到国家重点保护野生植物1种，为国家Ⅱ级保护野生植物。

湿地植被可划分为1个植被型组，3个植被型，4个群系。

调查中记录到湿地脊椎动物3纲11目21科63种。其中，鱼类7目14科41种，两栖类1目4科6种，鸟类3目3科16种。

记录到国家重点保护野生动物2种。其中，国家Ⅰ级保护野生动物1种，国家Ⅱ级保护野生动物1种。均为湿地鸟类。

龙潭水库重点调查湿地受北票市水利局管理，成立了北票市龙潭水库管理处。

主要受到非法狩猎威胁。

44. 乌金塘水库

乌金塘水库重点调查湿地范围面积0.10万公顷，湿地面积0.10万公顷，主要湿地类型为人工湿地(和河流湿地)。地理坐标为东经120°40′~120°44′，北纬41°00′~41°04′；位于连山区内。

调查中记录到湿地高等植物3门46科110属164种。

湿地植被可划分为1个植被型组，3个植被型，4个群系。

调查中记录到湿地脊椎动物3纲11目29科121种。其中，鱼类7目15科42种，两栖类1目4科6种，鸟类3目10科73种。

记录到国家重点保护野生动物4种。均为国家Ⅱ级保护野生动物，湿地鸟类。

于1970年建立乌金塘水库。受葫芦岛市水利局管理，成立了乌金塘水库管理局。

主要受到污染威胁。

45. 白石水库

白石水库重点调查湿地范围面积1.43万公顷，湿地面积0.53万公顷，主要湿地类型为人工湿地(和沼泽湿地、河流湿地)。地理坐标为东经120°48′~121°01′，北纬41°40′~41°48′；位于北票市内。

调查中记录到湿地高等植物3门47科103属157种。

记录到国家重点保护野生植物1种，为国家Ⅱ级保护野生植物。

湿地植被可划分为2个植被型组，4个植被型，8个群系。

调查中记录到湿地脊椎动物3纲14目33科147种。其中，鱼类7目15科42种，两栖类1目4科6种，鸟类6目14科99种。

记录到国家重点保护野生动物21种。其中，国家Ⅰ级保护野生动物6种，国家Ⅱ级保护野生动物15种。在国家重点保护野生动物中，有湿地鸟类15种。其中国家Ⅰ级保护鸟类6种，国家Ⅱ级保护鸟类15种。

白石水库重点调查湿地受辽宁省水利厅部门管理，成立了辽宁省白石水库管理局。

主要受到污染威胁。

46. 石佛寺水库

石佛寺水库重点调查湿地范围面积0.29万公顷，湿地面积0.29万公顷，主要湿地类型为人工湿地。地理坐标为东经123°26′~123°33′，北纬42°09′~42°12′；位于沈北新区范围内。

调查中记录到湿地高等植物3门52科138属215种。

湿地植被可划分为1个植被型组，2个植被型，3个群系。

调查中记录到湿地脊椎动物3纲12目23科76种。其中，鱼类7目15科42种，两栖类1目4科6种，鸟类4目4科28种。

记录到国家重点保护野生动物2种。均为国家Ⅱ级保护野生动物，湿地鸟类。

石佛寺水库重点调查湿地受辽宁省水利厅管理，成立了辽宁省石佛寺水库管理局。

主要受到污染威胁。

47. 沈阳獾子洞水库

沈阳獾子洞水库重点调查湿地范围面积0.18万公顷，湿地面积0.18万公顷，主要湿地类型为人工湿地(和沼泽湿地)。地理坐标为东经122°54′~122°59′，北纬42°21′~42°24′；位于法库县内。

调查中记录到湿地高等植物3门45科106属179种。

记录到国家重点保护野生植物1种，为国家Ⅱ级保护野生植物。

湿地植被可划分为1个植被型组，2个植被型，2个群系。

调查中记录到湿地脊椎动物3纲16目31科102种。其中，鱼类8目16科43种，两栖类2目4科6种，鸟类6目11科53种。

记录到国家重点保护野生动物13种。其中，国家Ⅰ级保护野生动物4种，国家Ⅱ级保护野生动物9种。在国家重点保护野生动物中，有湿地鸟类13种。其中国家Ⅰ级保护鸟类4种，国家Ⅱ级保护鸟类9种。

沈阳獾子洞水库重点调查湿地受法库县林业局管理，成立了法库县獾子洞国家湿地公园管理中心。

主要受到水资源短缺及其他威胁因子威胁。

48. 锦州大亚重点调查湿地

锦州大亚重点调查湿地范围面积0.10万公顷，湿地面积0.10万公顷，主要湿地类型为沼泽湿地。地理坐标为东经122°01′~122°05′，北纬41°22′~41°26′；位于北镇市内。

调查中记录到湿地高等植物3门42科92属135种。

记录到国家重点保护野生植物1种，为国家Ⅱ级保护野生植物。

湿地植被可划分为1个植被型组，3个植被型，4个群系。

调查中记录到湿地脊椎动物3纲13目27科94种。其中，鱼类7目16科44种，两栖类1目4科6种，鸟类5目7科44种。

记录到国家重点保护野生动物17种。其中，国家Ⅰ级保护野生动物1种，国家Ⅱ级保护野生动物16种。均为湿地鸟类。

锦州大亚重点调查湿地受北镇市林业局管理，成立了北镇市野生动植物保护站。

主要受到围垦威胁。

49. 浑河辽阳段重点调查湿地

浑河辽阳段重点调查湿地范围面积0.34万公顷，湿地面积0.33万公顷，主要湿地类型为河流湿地。地理坐标为东经122°52′~123°07′，北纬41°25′~41°37′；位于灯塔市内。

调查中记录到湿地高等植物3门48科132属208种。

记录到国家重点保护野生植物1种，为国家Ⅱ级保护野生植物。记录到外来物种1科1属1种。

湿地植被可划分为1个植被型组，1个植被型，2个群系。

调查中记录到湿地脊椎动物3纲16目33科155种。其中，鱼类7目15科42种，两栖类1目4科6种，鸟类8目14科107种。

记录到国家重点保护野生动物7种。其中，国家Ⅰ级保护野生动物2种，国家Ⅱ级保护野生动物5种。均为湿地鸟类。

浑河辽阳段重点调查湿地受灯塔市林业局管理，成立了灯塔市野生动植物保护站。

主要受到污染、过度捕捞及其他威胁因子威胁。

50. 本溪市林家葳子重点调查湿地

本溪市林家葳子重点调查湿地范围面积0.002万公顷，湿地面积0.002万公顷，主要湿地类型为河流湿地。地理坐标为东经123°39′~123°40′，北纬41°17′~41°18′；位于平山区内。

调查中记录到湿地高等植物3门36科81属111种。

湿地植被可划分为1个植被型组，2个植被型，2个群系。

调查中记录到湿地脊椎动物3纲4目6科24种。其中，鱼类1目2科11种，两栖类1目2科2种，鸟类2目2科11种。

本溪市林家葳子重点调查湿地受本溪市水利局管理，成立了本溪市河务处。

主要受到污染威胁。

51. 普兰店城子坦重点调查湿地

普兰店城子坦重点调查湿地范围面积1.32万公顷，湿地面积1.32万公顷，主要湿地类型为近海与海岸湿地(和河流湿地、人工湿地)。地理坐标为东经122°23′~122°35′，北纬39°23′~39°30′；位于普兰店市内。

调查中记录到湿地高等植物3门54科122属195种。

记录到国家重点保护野生植物1种，为国家Ⅱ级保护野生植物。

湿地植被可划分为2个植被型组，2个植被型，2个群系。

调查中记录到湿地脊椎动物3纲20目56科152种。其中，鱼类13目39科70种，两栖类1目2科2种，鸟类6目15科80种。

记录到国家重点保护野生动物8种。其中，国家Ⅰ级保护野生动物1种，国家Ⅱ级保护野生动物7种。均为湿地鸟类。

普兰店城子坦重点调查湿地受普兰店市海洋与渔业局管理。

主要受到围垦、污染威胁。

52. 甘井子区柳树沟重点调查湿地

甘井子区柳树沟重点调查湿地范围面积0.80万公顷，湿地面积0.01万公顷，主要湿地类型为人工湿地。地理坐标为东经121°27′~121°31′，北纬38°55′~38°56′；位于甘井子区内。

调查中记录到湿地高等植物3门55科124属199种。

记录到国家重点保护野生植物1种，为国家Ⅱ级保护野生植物。

湿地植被可划分为2个植被型组，5个植被型，6个群系。

调查中记录到湿地脊椎动物3纲12目32科129种。其中，鱼类7目16科44种，两栖类1目4科6种，鸟类4目12科79种。

未发现国家重点保护野生动物。

甘井子区柳树沟重点调查湿地主管部门为大连市水务局，大连甘井子区红旗镇政府管理。

主要受到污染威胁。

53. 瓦房店三台重点调查湿地

瓦房店三台重点调查湿地范围面积1.06公顷，湿地面积0.68万公顷，主要湿地类型为近海与海岸湿地(和河流湿地、人工湿地)。地理坐标为东经121°26′~121°41′，北纬39°29′~39°39′；位于瓦房店市内。

调查中记录到湿地高等植物3门54科123属199种。

记录到国家重点保护野生植物1种，为国家Ⅱ级保护野生植物。

湿地植被可划分为2个植被型组，3个植被型，3个群系。

调查中记录到湿地脊椎动物3纲22目69科209种。其中，鱼类16目52科113种，两栖类1目4科6种，鸟类5目13科90种。

记录到国家重点保护野生动物5种。其中，国家Ⅰ级保护野生动物1种，国家Ⅱ级保护野生动物4种。均为湿地鸟类5种。

瓦房店三台重点调查湿地受瓦房店市海洋与渔业局管理。

主要受到污染威胁。

54. 葫芦岛狗河入海口重点调查湿地

葫芦岛狗河入海口重点调查湿地范围面积0.49万公顷，湿地面积0.49万公顷，主要湿地类型为近海与海岸湿地（和人工湿地）。地理坐标为东经120°11′~120°18′，北纬40°06′~40°10′；位于绥中县内。

调查中记录到湿地高等植物3门46科106属172种。

记录到国家重点保护野生植物1种，为国家Ⅱ级保护野生植物。

湿地植被可划分为1个植被型组，2个植被型，3个群系。

调查中记录到湿地脊椎动物3纲18目52科168种。其中，鱼类13目38科69种，两栖类1目2科2种，鸟类4目12科97种。

记录到国家重点保护野生动物4种。其中，国家Ⅰ级保护野生动物1种，国家Ⅱ级保护野生动物3种。均为湿地鸟类。

葫芦岛狗河入海口重点调查湿地受绥中县海洋与渔业局管理。

主要受到围垦、过度捕捞、采集等威胁。

55. 庄河滨海重点调查湿地

庄河滨海重点调查湿地范围面积12.96万公顷，湿地面积12.36万公顷，主要湿地类型为近海与海岸湿地（和人工湿地）。地理坐标为东经122°31′~123°31′，北纬39°24′~39°50′；位于庄河市内。

调查中记录到湿地高等植物3门52科121属195种。

记录到国家重点保护野生植物1种，为国家Ⅱ级保护野生植物。

湿地植被可划分为2个植被型组，4个植被型，4个群系。

调查中记录到湿地脊椎动物3纲21目55科175种。其中，鱼类13目37科68种，两栖类1目2科3种，鸟类7目16科104种。

记录到国家重点保护野生动物13种。其中，国家Ⅰ级保护野生动物4种，国家Ⅱ级保护野生动物9种。均为湿地鸟类。

庄河滨海重点调查湿地受庄河市海洋与渔业局管理。

主要受到围垦、污染、过度捕捞和采集威胁。

56. 营口永远角重点调查湿地

营口永远角重点调查湿地范围面积0.05万公顷，湿地面积0.05万公顷，主要湿地类型为近海与海岸湿地（和沼泽湿地、人工湿地）。地理坐标为东经122°09′~122°11′，北纬40°41′~40°42′；位于西市区内。

调查中记录到湿地高等植物3门47科95属147种。

湿地植被可划分为2个植被型组，3个植被型，3个群系。

调查中记录到湿地脊椎动物3纲18目43科79种。其中，鱼类12目34科58种，两栖类1目2科2种，鸟类5目7科19种。

记录到国家重点保护野生动物2种，均为国家Ⅱ级保护野生动物，湿地鸟类。

于2010年制定的《辽宁省湿地保护“十二五”规划》已将永远角湿地纳入抢救性保护范畴，受营口市西市区人民政府管理。

主要受到基建和城市化、盐碱化的威胁。

参考文献

[1]大连市水务局. 2008大连市水资源公报[R]. 2008.

[2]抚顺市水利局. 2008年抚顺市水资源公报[R]. 2008.

[3]高正. 我国湿地补偿制度研究[D]. 苏州：苏州大学，2012.

[4]郭宇欣，等. 辽宁省重点饮用水水源地保护对策研究[J]. 吉林水利，2003（1）：4～7.

[5]国家海洋局. 2009年中国海洋灾害公报[R]. 2009.

[6]黄沐朋，等. 辽宁动物志鸟类[M]. 沈阳：辽宁科学技术出版社，1989.

[7]季达明. 辽宁动物志两栖爬行类[M]. 沈阳：辽宁科学技术出版社，1987.

[8]金连成，邱英杰，等. 辽宁野生动物和湿地资源[M]. 哈尔滨：东北林业大学出版社，2004.

[9]李鸿吉. 模糊数学基础及实用算法[M]. 北京：北京科学出版社，2005.

[10]李书心. 辽宁植物志(上册)[M]. 沈阳：辽宁科学技术出版社，1992.

[11]李书心. 辽宁植物志(下册)[M]. 沈阳：辽宁科学技术出版社，1992.

[12]李秀芹，等. 湿地生态系统服务功能及其恢复与保护对策[J]. 中国林副特产，2008（5）：82～85.

[13]辽宁省海洋渔业厅. 2007年辽宁省渔业经济统计分析报告[R]. 2007.

[14]辽宁省海洋渔业厅. 2008年辽宁省渔业经济统计分析报告[R]. 2008.

[15]辽宁省环境保护局. 2007年辽宁省环境状况公报[R]. 2007.

[16]辽宁省环境保护厅. 2008年辽宁省环境状况公报[R]. 2008.

[17]刘蝉磬，秦克静，等. 辽宁动物志鱼类[M]. 沈阳：辽宁科学技术出版社，1987.

[18]刘兴土，等. 东北湿地[M]. 北京：科学出版社，2005.

[19]刘洋. 中国湿地权属关系法律问题的研究[J]. 华北煤炭医学院学报，2009，7，11(4)：604～605.

[20]刘子刚，马学惠. 中国湿地概览[M]. 北京：中国林业出版社，2008 .

[21]马东辉，郭小东，苏经宇. 层次分析法逆序问题及其在土地利用适宜性评价中的应用系统[J]. 系统工程理论与实践，6：124～135.

[22]倪红伟，李君. 洪河自然保护区生物多样性[M]. 哈尔滨：黑龙江科学技术出版社，1999.

[23]盘锦市农林局. 盘锦市滨海湿地保护与恢复建设规划[R]. 2005.

[24]曲向荣. 鸭绿江口滨海湿地环境保护及其资源持续利用对策[J]. 环境保护科学，2003，29(01)：42～43.

[25]万忠成. 辽宁地下水生态环境问题与对策[J]. 辽宁城乡环境科技，2003(2)：50 ～51.

[26]王长科，吕宪国，刘红玉. 洪河自然保护区生物多样性保护[J]. 地理学与国土研究，2001，17(3)：63～67.

[27]王西琴，等. 辽宁省辽河流域污染现状与对策[J]. 环境保护科学，2007，33(3)：26 ～28.

[28]武海涛，吕宪国. 中国湿地评价研究进展与展望[J]. 世界林业研究，2005，18(4)：49～53.

[29]肖增祜，等. 辽宁动物志兽类[M]. 沈阳：辽宁科学技术出版社，1988.

[30]徐建华. 现代地理学中的数学方法(第二版)[M]. 北京：高等教育出版社. 2002.

[31]徐守国，郭辉军，田昆. 湿地功能研究进展[J]. 环境与可持续发展，2006(5)：12～14.

[32]许玉凤，等. 河流生态系统服务功能退化的生态恢复[J]. 安徽农业科学，2010，38(1)：320 ~ 323.

[33]约翰·马敬能，卡伦·菲利普斯，等. 中国鸟类野外手册[M]. 长沙：湖南教育出版社，2000.

[34]张耀光. 辽河三角洲土地资源利用结构优化与持续利用对策[J]. 自然资源学报，2001，16(2)：115 ~ 120.

[35]郑允文，薛达元，张更生. 我国自然保护区生态评价指标和评价标准[J]. 农村生态环境，1994，10(3)：22 ~ 25.

[36]中国21世纪议程——中国21世纪人口、环境与发展白皮书.

附　件

辽宁湿地资源调查主要参与单位与人员

辽宁省林业调查规划院：

刘永会　祖占和　肖柏辉　董泽生　徐文君　刘向东　张士利　张秀凤　林　枫
王树海　詹劲昱　张宝森　王亚林　张秀峰　杨　占　刘　宏　徐志辉　韩学喆
才大伟　佟　帅　张　强　姜佳晔　卢　元　王韦舒　孙术桓　孟　倩　武文昊
白银露　苗　肥　朱玉亮　吴　军　苏振海　李春生　荣　誉　王　玲　王付刚
李　鹏　张鸿宇　殷　娇　杨　超　丁胜建　包　磊　杨子健　任　义　赵博文
张志杰　吴　迪　秦学军　张士亮　魏　斌　徐宝柱　李雪峰　邢　亮　王　鹏
白慧敏　姜　韬　杨青川　刘　瀛　王云龙　褚永磊　张　程　王海东　胡增林
赵玉勇　迟新德　任广仁　骆崇云　刘柏林　王　冰　郑　扬　李继爱　栗生枝
高鼎淇　邢锡桐　张诗琪　李　元　邢　晖　李　宁　王正利　孙长军　肖纪浩
李大威　张志勇　周定辉　刘立国　夏志光　沈　威　焦大志　孙海光　赵　渺
邹青池　梁　丹　李红振　李晓玲　赵雪磊　陆小辉　刘春芹　高香玲　佟丽文
刘艳丽　熊　静　景　森　刘姝颖　王　铠　先文娟　刘　璐　孙艳蓉　姜　欣
马岩鹤　陈　敏　肖　杰　李　璐　姜黎黎　刘秀峰　张　莹

辽宁省湿地保护管理中心：

王忠海　肖常青　杨春明　张树浩　赵文元　邵乐夫　唐源泽　陈　杰　张建华
张　敏　李　阳

各市县主要参与调查人员：

姜　亮　邱　磊　赵宇航　贾　东　陈明忠　谭成春　冯喜岩　阎玉涛　韩　超
薛　艺　宋泽民　刘子江　原　野　赵静茹　王振威　孟祥宇　王　海　杨　浩
张　阔　杜芳芝　尤　军　候　威　张登华　张文婷　荣　光　王　允　王叶红
孙友明　赵玉翠　张　克　梁浩然　朱汝涛　董　瑞　刘正冬　徐　涛　肖　飞
毛忠岩　刘　军　史淑萍　马　巍　于家春　王立成　黄淑华　罗继尧　李　文
白清泉　鲍文峰　李景和　孙　晶　陈　晶　邓　践　杜　江　迟　峰　姚彦林
何　奎　杨丰旺　刘　鹏　刘　俊　齐　允　杨　军　王志强　温春丽　魏　文
李　辉　冷　旭　刘　林　朱　良　王作权　陈冬利　张家彬　邹振明　杨洪福
刘吉金　杨　旋　颜景红　张冬冬　海　军　张艳秋　李艳臣　王英浩　王　芳
温晓彤　刘学昌　朱富志　李　岩　聂晓丽　顾　瑞　王　超　李建鹏　闫占山

周　正　朱玉桐　付化瑞　冷　梅　李秀菊　陈永强　李连江　苏　刚　闫　兵
李子骥　黄占华　魏宇博　苏　飞　王　兵　刘长安　魏明星　岳　刚　郭　莲
康　丽　李玉祥　张　兵　宋常站　李凤丽　庞海龙　曾　晋　刘　野　黄　洁
王金爽　张振勤　王明友　刘俊武　高敬汉　马晓松　赵久野　杨　慧　张　明
付　健　曹丽丽

后　记

2000 年，辽宁省完成了第一次全省湿地资源调查，按照调查标准，全省湿地划分为 5 类 11 型，总面积 121.96 万公顷。第一次全省湿地资源调查成果填补了辽宁省湿地资源调查的空白，为辽宁省各级政府制定湿地保护管理政策、立法、规划等提供了依据，引起了省政府对湿地保护工作的高度重视。省政府办公厅于 2002 年下发了《关于进一步加强全省湿地保护工作的通知》，成立了由主管副省长任组长的省湿地保护工作协调小组。2007 年，省人大常委会颁布了《辽宁省湿地保护条例》。2008 年，成立了辽宁省湿地保护管理中心。第一次辽宁省湿地资源调查距今已有 10 多年。在此期间，辽宁省湿地保护工作有了长足的发展，同时经济社会的发展与湿地保护的矛盾也日益突出。为摸清全省湿地资源现状、掌握湿地资源动态变化、加强湿地保护、探索湿地保护与经济社会协调发展的途径与模式，根据国家林业局总体部署，辽宁省于 2009 年启动了第二次湿地资源调查工作。

本次湿地资源调查共抽调辽宁湿地保护管理中心、辽宁省林业调查规划院、各市林业系统专业人员 276 人，组成 14 个调查组，历时 10 个月时间完成外业调查工作。2011 年 10 月末，完成全部内、外业、专家评审、上报等工作并向国家林业局提交成果材料。与第一次湿地资源调查不同，本次调查首次采用以遥感(RS)为主，地理信息系统(GIS)和全球卫星定位系统(GPS)为辅的“3S”技术。获取了辽宁省全面准确的湿地资源调查成果资料，包括全省各流域、湿地区、行政区的各湿地类型数据，制作了全省湿地分布图，重点调查湿地分布图，实现图形与数据属性相互直观查询与显示，构建起以“3S”技术为平台的全省湿地资源属性数据库，建立健全了湿地资源档案。调查成果一次性通过了林业局组织的专家委员会鉴定，在 2012 年国家林业局召开的全国湿地保护工作会议上做了经验介绍。

本卷基于辽宁省第二次湿地资源调查结果编辑出版，是该项调查和研究成果的总结，也是一部全面详实介绍辽宁湿地资源的专著。详尽地介绍了辽宁省湿地资源的分布情况和重点湿地保护情况，系统地阐述了各湿地类型的面积、特点和湿地生物多样性，有针对性地指出了目前辽宁省湿地保护工作存在的问题，提出了保护对策。本卷将为各级政府、湿地保护主管部门制定湿地保护管理的方针政策、编制湿地保护规划、计划，指导湿地资源保护与合理利用提供科学、翔实的基础资料，为各级别湿地类型自然保护区、湿地公园编制总体规划、发展规划和制定管理目标提供基础数据支持和借鉴。

本卷共分为 6 章，主要内容包括基本概况、湿地类型、湿地生物资源、湿地资源利用方式、湿地资源评价及湿地保护与管理等。其中，第一章由张秀峰、张强等编制；第二章由才大伟、韩学喆等编制；第三章、第四章由杨占、佟帅等编制；第五章、第六章由徐志辉、卢元等编制；全卷完成后，由邱英杰教授进行全书审阅。本卷地图绘制由刘春琴、李晓玲等完成；插图编绘由才大伟完成；全卷的彩色插图由刘东伟、宗树兴等提供。

本卷的出版得到了国家林业局湿地保护管理中心、国家林业局调查规划设计院、有关大专院校、科研院所、省直和各市、县各有关湿地保护主管部门、各湿地自然保护区和湿地公园管理机构的大力支持，在此向关心和支持本书出版的各级领导、专家、各有关部门和付出辛勤劳动的调查人员表示感谢。感谢本书稿所有参与者及中国林业出版社对本书顺利出版付出的辛勤劳动和贡献。由于种种原因，本书编写中还存在一定局限，有待今后进一步的完善和补充。文中不妥、疏漏和错误之处，欢迎批评指正。

《中国湿地资源·辽宁卷》编写组
2015 年 12 月